La gran revolución de las grasas

Sacha Barrio Healey

La gran revolución de las grasas

Consiga el bienestar mental, emocional,
sexual, y venza el sobrepeso

Grupo Editorial Norma

http://www.norma.com

Barcelona Bogotá Buenos Aires Caracas Guatemala Lima
México Panamá Quito San José San Juan San Salvador
Santiago de Chile Santo Domingo

Edición: Pilar Pardo Herrero
Diseño de cubierta: Neuza Urízar Franco
Fotografía de cubierta: Arturo Bullard
Ilustraciones: Fredy Cárdenas

Esta sexta reimpresión consta de 2000 ejemplares

Impreso por Metrocolor S.A.
Av. Los Gorriones 350, Lima 09
Impreso en Perú - *Printed in Peru*
Setiembre 2007

C.C. 05062
Hecho el Depósito Legal en la Biblioteca Nacional del Perú: 2007-09202
ISBN: 978-9972-895-91-3
Nº de Registro de Proyecto Editorial: 11501310700316

AGRADECIMIENTOS

Mi más hondo agradecimiento a mi amada compañera Carmela, que le dio el sello final al libro encargándose de todo y más cuando yo ya estoy en un lugar tan lejano. A Rosario De La Valle, quien me orientó y guió a lo largo de toda la creación del libro. También a Olga Mejía por su tremenda ayuda en la cohesión del libro. A Pilar Pardo y Rubén Silva en Editorial Norma por entender el proyecto y plasmarlo profesionalmente. Patricia y Silvana en Argentina, por darme esa mazamorra que tanto me hizo reflexionar. Al Padre Szeliga en el Instituto Peruano de Investigación Fitoterápica Andina (IPIFA) por compartir los secretos de las plantas. A los pacientes y sus tantas preguntas que son las que he buscado responder en estos textos. Por último, quiero agradecer a las cabras barbudas de Escocia, que cada mañana me entregaron una sabiduría nutricional de largas implicancias sociales.

A. S. BARRIO HEALEY
Nanjing, China 2003

Contenido

Prefacio   11

Introducción   15
La agudeza de la medicina occidental y la astucia de
   la medicina china
Diferencia entre los dos modelos de medicina
Cómo enfrenta la enfermedad cada modelo de medicina
La base del modelo chino
Interdependencia soma-psique

I.   La gran revolución de las grasas   25
Los ácidos grasos esenciales (AGE)
Cómo se extraen los aceites vegetales de cocina
Margarinas
Haciendo historia: las grasas de nuestros antepasados y las
   nuestras
Los aceites y el envejecimiento prematuro
Los aceites y la salud de la piel
Consejos saludables para obtener ácidos grasos esenciales
Apéndice: ¿Por qué las cápsulas de omega 3 no son la
   solución?

II.   Los aceites originales del riñón   45
Cosmogénesis
Androgénesis
Jing
DHEA (deshidroepiandrosterona): una hormona esencial
Consejo saludable para el fortalecimiento del riñón

III. **Grasas del cerebro y la psique**   **57**
  Breve historia de la evolución del cerebro humano
  Arquitectura de la grasa cerebral
  Los ácidos grasos esenciales mejoran el coeficiente
    intelectual
  Grasas para el desarrollo fetal
  La hiperactividad en los niños
  Las grasas tóxicas: ácidos grasos trans
  Grasas del entusiasmo y grasas de la melancolía
  Consejos saludables para obtener grasas cerebrales

IV. **Síndrome de grasa caliente en el hígado**   **79**
  Síndrome de grasa caliente en el hígado
  Azúcares y harinas refinadas
  Grasas saturadas
  Carnes
  Alimentación estándar
  Bilis y grasa anímica del hígado
  Hígado e insomnio
  Hígado y útero
  Hígado y próstata
  Otros síndromes presentes en el hígado
  Consejos saludables para un hígado sano
  Apéndice: ¿Por qué carecemos de magnesio?

V. **Grasas del corazón**   **113**
  Las grotescas consecuencias del corazón obeso
  ¿Cómo se adhieren las grasas al corazón y a las arterias?
  Proteínas y enfermedades del corazón
  Consejos saludables para evitar problemas cardiovasculares

VI. **Grasas del bazo-páncreas**   **129**
  ¿Cómo evitar la acumulación de flema y grasa?
  Síndrome de humedad fría que invade el bazo-páncreas
  Los tejidos adiposos, la grasa marrón y la grasa blanca
  Cómo encender la máquina quemadora de grasa
  La grasa como alimento de la saciedad

La resistencia insulínica como precursora de la diabetes y
   la obesidad
Consejo saludable para prevenir la resistencia insulínica

VII. **Grasas y flemas del pulmón**   141
      Factor patógeno residual
      Probiótico contra antibiótico
      Flema húmeda obstruye los pulmones
      Ácidos grasos esenciales y enfermedades del pulmón
      El otoño emocional del pulmón y su grasa intangible
      Consejos saludables para combatir las enfermedades del
         pulmón

VIII. **Grasas del cáncer**   159
      Grasas tumorales y antitumorales.
      Cáncer: enfermedad sistémica o tumor localizado
      Consejos saludables

IX.   **La sexualidad y la combustión de grasas**   171
      Impotencia
      La fertilidad y el ajonjolí
      Prostaglandinas, aceites, próstata y cólicos menstruales
      Consejo saludable para el bienestar de la próstata

X.   **Grasas de la mujer**   179
      Grasas de la sexualidad y la menopausia
      Fitoestrógenos (estrógenos de origen vegetal)
      El lignano de la linaza
      Ácido gamalinolénico del aceite de prímula
      Dominancia estrogénica
      Progesteronas naturales
      Operaciones de la mujer
      Consejos saludables para obtener fitoestrógenos

XI.   **El lado secreto de la leche**   199
      La osteoporosis y los suplementos de calcio
      Calcio y hormonas
      Leche y pasteurización

Leche y lactancia
Leche como fuente de grasas
Consejos saludables para obtener el calcio

XII. **Adelgazando con grasas**   229
La inteligencia del apetito natural
Las grasas como reguladores del azúcar en la sangre
Ritmo metabólico, grasas y nuestro carburador fisiológico
El *tao* de adelgazar

Dieta rica en ácidos grasos adelgazantes   241
Plan nutricional adelgazante: grasas vs. grasas
Dieta adelgazante depurativa

Apéndice: Perfiles de aceites   251
Ajonjolí
Girasol
Linaza
Oliva
Sacha inchi
Verdolaga
Pescados

Anexos   265

Índice analítico   271

Bibliografía citada   275

Bibliografía general   279

Prefacio

L as revoluciones del futuro quizá no sean violentas, en el sentido de que no habrá guillotinas francesas o fusiles bolcheviques. Las revoluciones del porvenir tal vez sean individuales y privadas, en la conciencia íntima de cada individuo. Y para ello, la nutrición es el punto de partida, porque un cambio en la alimentación supone un cambio corporal y mental, lo que deriva en un cambio en la familia y, más allá, en la economía del país.

Una alimentación insensata nos puede llenar el alma de gusanos y escorpiones, traer a nuestro cuerpo una tormenta de ansiedades, amargos insomnios, negras depresiones y luego desencadenar una sucesión de enfermedades inevitables. Una alimentación sana nos llena el corazón de buenos sentimientos y fortaleza. La alimentación es el punto de partida ineludible para nutrir la conciencia; la meditación quizá sea el objetivo final. Se puede medir la inteligencia y la evolución de un ser con solo ver cómo y qué come.

Estamos en la era del escepticismo frente a las ideologías utópicas o nihilistas, neoliberales o socialistas. La generación que se enfrenta al mundo hoy en día, desorientada se cruza los brazos, porque, de pronto, ya no hay que forjar la revolución socialista que se había soñado tanto. La conformación y composición del Estado ya no está en las prioridades de nuestra generación, hay algo así como un desencanto político. He querido hablar de nutrición pues es el punto de partida para hacer una profunda revolución interior en la naturaleza humana, también una sabrosa y festiva revolución social, donde las ideas, las legumbres y las nueces son las balas de combate.

Vivimos inmersos en un océano de grasas y fritangas, mantecas y mayonesas de todo tipo; estas grasas asfixian nuestras células y aglutinan nuestra sangre con una telaraña de coágulos y adherencias. La obesidad es una enfermedad en acelerado crecimiento. Los productos *diet* y *light* asedian el mercado y tenemos una ideología beligerante contra las grasas, la lipofobia. Sin embargo, los ácidos grasos esenciales lideran en deficiencia nutricional. Nuestro hígado, cerebro y genitales, se sienten dichosos y agradecidos cuando por fin les damos las grasas que les son esenciales para su funcionamiento, hacen que nuestra salud mejore en muchísimos aspectos, entre ellos la frescura de la piel y el control del peso.

Este libro trata sobre el rol de esas grasas esenciales y de la nutrición medicinal en distintos ámbitos de la salud, examinando y ofreciendo soluciones prácticas a cada uno de los principales problemas de la vida moderna: menopausia, osteoporosis, colesterol, enfermedades al corazón, depresión, cáncer y sobrepeso, entre otros.

El nacimiento de este libro ha sido misterioso. Cierto día vino a la clínica una señora mayor con una severa osteoporosis; al tomar su historia clínica me indicó que tomaba tres tazas de leche al día, además de dos tabletas de calcio diarias, según las instrucciones de su doctor. Cuando le dije que abandonara tanto la leche como las tabletas, supongo que pensó que esa era la más cruel recomendación imaginable o que yo estaba mal de la cabeza. Quizá se fue sin comprender nada y lo cierto es que nunca regresó. Tarde en la noche, ya buscando dormir, pude reflexionar y llegué a la conclusión de que como esa señora había miles. Me juzgué impotente, tenía la certeza de estarle indicando el camino correcto y esa frustración hizo que me desvelara escribiendo hasta el amanecer, vertiendo sobre papel todos mis planteamientos. Fue así que, anticipando una próxima oportunidad, tendría un texto irrefutable que me respaldara y así ahorrar saliva gastada en largas explicaciones.

Luego me sucedió lo mismo con un texto sobre refinamiento de aceites, luego con otro sobre nutrición infantil y otro sobre menopausia. Poco a poco, llegué a tener un arsenal de textos que me respaldarían ante cualquier paciente suspicaz y que son los que presento aquí, por lo que cada capítulo puede leerse de manera independiente. En cierto momento advertí que había escrito un libro, y ahora lo entrego para hacer frente a los temas más vivos, ignorados y urgentes sobre la salud actual.

Introducción

LA AGUDEZA DE LA MEDICINA OCCIDENTAL Y LA ASTUCIA DE LA MEDICINA CHINA

La medicina occidental se ha desarrollado con una estructura lógica que persigue los agentes originarios de la enfermedad. Esta forma de pensamiento busca aislar, cambiar, controlar o destruir el agente causal de la enfermedad. Históricamente se ha desarrollado así, en una búsqueda retrospectiva de las causas de la enfermedad y en un análisis fragmentado y muy especializado de su campo de estudio. El científico de la medicina estudia el cuerpo sin cuestionar a fondo las bases de la "teoría" del conocimiento con que observa al cuerpo mismo.

La filosofía de la medicina occidental siempre parte de un síntoma, luego busca el mecanismo que lo ocasiona y la causa precisa de su manifestación será una enfermedad específica. Así, buscando mayor certeza y exactitud, damos con un agente aislable, definible y palpable. Se desarrolla entonces una medicina de causa y efecto, lineal, cuantificable, puntual y muy aguda. El problema es que las enfermedades y el cuerpo humano son más complejos que la capacidad de pensar de los hombres y no siempre siguen este surco predecible de comportamiento. De ahí que existan tantas enfermedades llamadas idiopáticas o de origen desconocido. Digamos que en el mundo de la ciencia cuantificable, la matemática de la fisiología y la bioquímica celular tienen sus reglas y pautas que hemos aprendido a medir y predecir, pero estas están contenidas dentro de otro universo más amplio donde opera otro conjunto de leyes.

La medicina china, por el contrario, observa el cuerpo como una telaraña donde todo está interconectado, toma los síntomas y los teje para formar lo que llama un "patrón de desarmonía". El médico, tras obtener una visión integral del cuerpo de la persona, llega a descubrir su patrón de desarmonía y, más que una enfermedad precisa, describe y diagnostica un estado de desbalance. A veces incluso podemos tener dos o más patrones de desarmonía operando en simultáneo. Por ejemplo, lo que en medicina occidental se denomina "asma", la medicina china lo puede describir como: síndrome de deficiencia *yin* de los riñones que ocasiona hiperactividad del hígado y acumulación de flema caliente en los pulmones. Pero no solo los nombres de las enfermedades son distintos, también lo son los códigos de percepción y el campo de observación, a pesar de que el cuerpo es el mismo. Los sistemas de diagnóstico oriental dirigen su atención a la totalidad psicológica y fisiológica, son totales y luego son sintéticos al entretejer con coherencia los síntomas y signos.

DIFERENCIA ENTRE LOS DOS MODELOS DE MEDICINA

La diferencia entre estos dos modelos de medicina radica en el punto de observación, en la perspectiva y visión que adopta cada uno, ya que uno, el occidental, es inductivo y el otro es deductivo. La medicina occidental toma como punto de partida el microcosmos: desde la tierra observa el universo. La medicina occidental se ocupa de observar la materia, a través del microscopio, los rayos X, el electroencefalograma, la bioquímica intracelular, etc.; es altamente especializada, fragmentada y muy aguda. Por otro lado, la medicina china tiene como punto de observación el universo y desde el cielo observa los fenómenos de la tierra, estudia el todo y establece correspondencias con las partes, investiga leyes universales y a estas las encuentra operando en el cuerpo (por ejemplo, los cinco elementos, los cinco sabores, los seis estratos patogénicos, las siete emociones), su lenguaje es de calor, frío, humedad, viento y sequedad. Las características básicas en que se clasifican los fenómenos del cuerpo son cuatro pares de opuestos, lo cual nos remite de nuevo a la idea esencial del equilibrio: *yin* y *yang*, externas e internas, superficiales o profundas, exceso y deficiencia.

Otra importante diferencia entre ambas medicinas es la correlación entre hombre y enfermedad. La medicina china se preocupa principalmente del hombre y su constitución, y como consecuencia de su constitución primaria están derivadas las diferentes enfermedades que pueden aparecer. En cambio, la medicina occidental tiene como eje de observación las enfermedades y no se preocupa tanto del hombre que las padece, ni de su dieta, ni de su entorno emocional o constitución física. La constitución es, sin embargo, esencial para la medicina china, ya que no es lo mismo tratar a un hombre gordo con la nariz roja, con letargo en sus movimientos, colesterol alto e hipertensión que a otro paciente delgado, pálido, friolento, hiperactivo, temeroso, con palpitaciones e insomnio. Aunque los dos presenten la misma enfermedad, la constitución es diferente y la terapia es diametralmente opuesta. La medicina china se dirige a balancear la constitución y debido a ello la enfermedad se desvanece naturalmente.

Ambas formas de medicina son complementarias, no alternativas. No estamos tratando de hacer aquí una apología a sistema alguno; lo que estamos intentando es extender el espectro de posibilidades, ampliar la visión acerca del cuerpo humano y —como se verá en este libro— los aportes de ambas medicinas confluyen.

CÓMO ENFRENTA LA ENFERMEDAD CADA MODELO DE MEDICINA

Son innumerables las personas que adolecen de un conjunto de malestares y síntomas y que se sienten muy por debajo de lo que podría considerarse un nivel óptimo de salud. Estos mismos pacientes acuden al médico, que, cumpliendo con el rigor de su profesión, pasa a ejecutar los análisis del caso, en su mayoría sumamente costosos, lo que incluye hemogramas, endoscopias, ecografías y resonancias magnéticas. En una considerable proporción de casos, el médico ve que todos los estudios arrojan resultados normales, no existe nada fuera de los rangos establecidos de salud. Bajo tales circunstancias, el médico honesto debería abstenerse de interferir; sin embargo, en ciertos casos, tal vez sienta el apremio de ejercer su profesión —porque, al fin y al cabo, para eso está— y por ello lo que obtiene son resultados más bien ambiguos.

Estos mismos pacientes, puestos a la luz de la medicina china, presentan condiciones claramente definidas, y se logra percibir con perfecta transparencia una evidente patología. Esto se debe a que la medicina china maneja uno de los sistemas de diagnóstico más extraordinarios que existen, con una versatilidad y sutileza que hacen que todo aquel que se haya tomado el trabajo de estudiarla quede verdaderamente admirado.

Para el médico chino, el hecho de esperar que un órgano presente una malformación orgánica y visible, antes de que pueda concluir un diagnóstico, es una forma arcaica y negligente de práctica médica. Más aún, hace que la prognosis sea muy pobre, porque ya el daño está hecho, es una realidad física y por lo tanto es demasiado tarde para poder remediarlo. El radiólogo solo ve tejidos sanos o malsanos que, junto con la hoja de análisis de laboratorio, son ahora la herramienta principal o única del especialista. El médico chino ve los síntomas incipientes, latentes, las semillas potenciales de la enfermedad.

El *Nei Jing* o *Clásico del Emperador Amarillo de la medicina interna* dice que curar a un paciente enfermo es como querer reclutar un ejército cuando el batallón enemigo está en pleno despliegue de ataque. La medicina china tiene la virtud de ser una medicina preventiva y pronosticadora, de ahí su penetrante capacidad para observar el cuerpo desde una perspectiva global. El médico chino, como un agente secreto de investigación, apoyado en una cadena de sucesos y síntomas, va tejiendo una trama y sus sospechas poco a poco se van volviendo una certeza.

Gran número de médicos especialistas, enfrentados ante lo complejo de ciertos cuadros sintomáticos y sin manejar un sistema de diagnóstico holístico e integral, califican a sus pacientes como víctimas de patologías "funcionales". Por lo general, se les prescribe analgésicos, ansiolíticos o antidepresivos. Se les da de alta o quizá se los remite a alguna psicoterapia, ya que se les indica que su problema es mental. En primer lugar, el uso de fármacos es particularmente perjudicial y contraindicado en el caso de una salud congestionada, ya que acarrea efectos secundarios y desequilibrios bioquímicos. En segundo lugar, es difícil que una psicoterapia pueda ser efectiva por sí sola cuando el cuerpo está profundamente enfermo y desequilibrado. Un cuerpo con dolores, una congestión generalizada de la sangre, pobres hábitos alimenticios, insomnio, migrañas, no permiten siquiera la lucidez o el espacio de tranquilidad necesaria para entrar en un proceso terapéutico. Y en tercer lugar, no se ha hecho nada para remediar la condición primaria.

La medicina china, aunque no es tan precisa y exacta, sí puede ser muy versátil. Por ejemplo, diez pacientes expuestos a métodos modernos de tecnología médica —como la endoscopia— fueron diagnosticados con úlceras gástricas pépticas y el gastroenterólogo les recetó el fármaco más moderno para esta condición: la ranitidina.[1] Estos mismos pacientes puestos bajo el ojo de la medicina china encuentran el mismo diagnóstico, pero con panoramas enteramente diferentes. El primero es fuego en el estómago; el segundo, hiperactividad del hígado que invade el estómago; el tercero, flema y sangre fría coagulada en el estómago; el cuarto puede ser deficiencia *yang* del riñón que provoca deficiencia *yang* del bazo y afecta el estómago; y así sucesivamente.

---

1 Ted Kaptchuk. *Chinese Medicine.*

Visto esto, es lógico suponer que para cada uno de los casos la terapéutica es enteramente distinta. En un caso quizá se usen hierbas astringentes y calientes; en otro, tal vez hierbas pungentes que eliminen calor, o hierbas que apacigüen el hígado, o hierbas tónicas del riñón, entre otras posibilidades.

Muchos estudios se han hecho para analizar la eficacia de la medicina china, pero los hacen asumiendo como fundamento su modelo científico, el cual no se ajusta a las necesidades del caso, ya que este modelo no es válido para la medicina energética, de la misma manera que no pensaríamos hacer una investigación científica occidental utilizando un modelo filosófico chino, sin embargo, la medicina china es ciencia, aunque a la vez sea un arte. En el ejemplo anterior, la ciencia verificaría la eficacia en la curación de una úlcera estomacal, la medicina china tendría además otras variables que juzgar, como el estado de otros órganos correspondientes que estén involucrados, pues para ella los órganos no son elementos independientes sino sujetos a relaciones entre sí.

LA BASE DEL MODELO CHINO

La filosofía china nos dice que "tal como es en el cielo es en la tierra, y como es en la tierra es en el hombre". Así, el eje de creación de cielo, tierra y hombre es central en el pensamiento chino. Entre las cinco estaciones que representan el cielo, los cinco elementos que representan la tierra y los cinco órganos *yin* que representan al hombre se establecen correspondencias que responden a la perspectiva universal con que trabaja la medicina china, la cual tiene una visión que integra al hombre con su entorno y con el universo. Por ejemplo, en el cielo tenemos el verano; sobre la tierra, el fuego, y en el hombre, el corazón. Así como se da esta relación, este modelo permite establecer correspondencias innumerables en todas las facetas de la vida. Su teoría es un paso hacia la correlación no solo entre las estaciones, los elementos y los órganos, sino de estos con las emociones y los sabores.

La teoría de las cinco fases, que podemos ver representada en el diagrama de la página 22, hace parte de un modelo de medicina holística característico de la medicina china; también se la conoce, incorrectamente, como la "teoría de los cinco elementos". Pero sería más conveniente pensar en fases, ya que son cambios dinámicos que implican la transformación de una misma substancia, como puede serlo la transformación del hielo en agua y en vapor. La teoría de la fases chinas es un concepto enteramente distinto del que conocemos como los 4 Elementos, y que proviene de los griegos, estos últimos buscaban clasificar la materia en cuatro presentaciones distintas.En el modelo chino la generación de un elemento, lleva a este a generar el siguiente, y así de modo continuo.

Sin embargo, como la naturaleza no puede estar en un estado de procreación continua, también se necesita la restricción, el control; por ello el agua apaga el fuego, el fuego derrite el metal, el metal corta la madera, y la madera contiene la erosión de la tierra, mientras que la tierra sujeta el agua. Para entender la aplicación práctica de esta teoría podemos ver que, por ejemplo, el riñón genera el hígado, pero controla al corazón. Esto quiere decir que si el riñón está débil como consecuencia también lo estará el hígado, sin embargo, el corazón estará hiperactivo ya que no es restringido lo suficiente por el riñón. Dicho de otra manera, el riñón débil, que tiene menos agua, nos genera cansancio lumbar, orina concentrada y escasa, al mismo tiempo esto nos origina mareos, indigestiones y uñas quebradizas, ya que la sangre del hígado se debilita, pero debido a la falta de restricción del corazón hay más fuego y por eso sufrimos de palpitaciones, taquicardia, insomnio y sudoraciones profusas.

De otro lado, el sabor de la comida nos ofrece un punto de partida para entender las propiedades del alimento, siendo la energía de cada órgano regulada por un sabor determinado. La medicina occidental busca el equilibrio entre vitaminas, minerales, proteínas, grasas y carbohidratos, pero la medicina oriental busca el equilibrio entre lo dulce, lo salado, lo ácido, lo pungente y lo amargo, ya que cada sabor ingresa a trabajar sobre un órgano determinado.

(ver apéndice de pag 269)

Teoría de las cinco fases

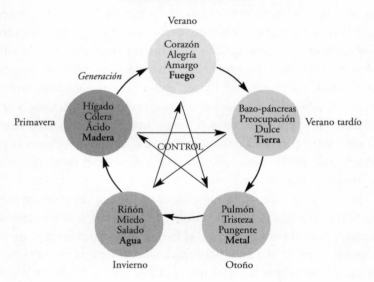

Como vemos, la medicina china, distinta de la occidental en su manera de observar el cuerpo, encuentra en él relaciones internas que la dejan ir más allá de lo visible en primera instancia. Juega en esta labor un rol importantísimo el alimento, pues no solo es combustible corporal sino que es también material para equilibrar el cuerpo y armonizar la mente.

INTERDEPENDENCIA SOMA-PSIQUE

Para terminar, vale la pena anotar que uno de los aportes más importantes de los sistemas de la medicina complementaria como la acupuntura, la herbolaria o la homeopatía es el poder que tienen de producir transformaciones psíquicas en el paciente. La energía, siendo sutil, tiene un efecto de bisagra y actúa tanto en el plano emocional como físico. Se trata de movilizar la energía que nos causa dolor y que nos impide movernos libremente en la vida externa y en nuestra propia vida interior. La acupuntura tiene una filosofía acorde con las leyes universales que gobiernan al cosmos y al hombre. Son las leyes de cómo fluye la energía de un órgano hacia otro, de cómo se controlan y regulan cuantitativamente las energías entre los órganos, de cuál es el entorno psicológico de cada órgano, de cómo responde cierto órgano ante determinado alimento, color, clima atmosférico o emoción.

Cuando se ofrece terapia con esta intención, no se la ofrece como otro analgésico más, sino como una terapia que puede aportar transformaciones en la vida psicológica del paciente.

Una forma de psicoterapia silente la constituye la dieta clínica, que sana con el lenguaje de medicinales corrientes de sangre, de las que deben hacer parte, como proponemos aquí, ciertas grasas esenciales dirigidas a modificar un entorno interno específico. Entrando en el proceso terapéutico se ven casos donde los pacientes no solo sienten mejoría médica, sino también mejoría espiritual. Quizá con una dieta recomendada alguien encuentre las fuerzas necesarias para cambiar de trabajo, para divorciarse de un matrimonio imposible o, simplemente, se sorprenda de que ya no está bajo un estado de continua ansiedad, irritabilidad o temor. Cuando la energía del cuerpo se desbloquea, la vida y el destino también se descongestionan.

La sociedad moderna padece una extensa epidemia de síndromes, que es como se clasifican las enfermedades en la medicina china y que son invisibles ante los ojos de la medicina occidental, pero no por eso dejan de ser dolorosos y angustiantes. Estos malestares los vemos diariamente en nuestra práctica clínica. En este libro exponemos sus causas y características, apoyándonos en casos clínicos; haciendo paralelos entre la teoría del conocimiento occidental y oriental, pretendemos obtener con estas dos perspectivas una visión más completa del ser humano. De igual forma, explicamos el papel que cumplen las grasas bajo tales condiciones y en otros ámbitos de la salud, a la luz de la nutrición moderna y la filosofía china, todo con el fin de reconocer la naturaleza esencial de las grasas y de aportar a nuestra sociedad nuevos conocimientos para una alimentación saludable.

CAPÍTULO UNO

La gran revolución de las grasas

Históricamente, la humanidad ha tenido ocultos enemigos de su salud, pestes y epidemias de todo tipo han corroído y diezmado poblaciones; hoy en día la humanidad está azotada por modernas calamidades que surgen de las industrias alimentarias. Si antes el hombre navegaba ignorante con enfermedades como el escorbuto, hoy en día estamos a bordo del barco de las grasas, y al asfixiar la sangre nos estamos ahogando lentamente.

En la era industrial, debido al acelerado consumo de combustibles fósiles, el planeta ha entrado en una crisis medioambiental y se está contaminando y calentando con el llamado "efecto de invernadero". Parejamente, la humanidad está engordando, se intoxica y enferma por su ignorancia en el consumo de su combustible interno. Las economías mundiales se afanan por un crecimiento económico-industrial, teniendo este objetivo como prioridad, mientras que las economías familiares se preocupan por satisfacer sus necesidades inmediatas y consumen combustible sin reflexionar sobre el impacto que tiene sobre su cuerpo; en ambos casos, debido a nuestra miopía mental, consumimos combustible sin sabiduría.

La grasa no es solo combustible para obtener energía utilizada en nuestras actividades diarias, lo es también para la actividad emocional de nuestros órganos internos, en la cual juega un importante rol. Necesitamos saber qué universo de grasas está transitando por nuestro tracto digestivo y cuáles empantanan o, por lo contrario, fortifican la vida de nuestros órganos internos. Es importante describir el ámbito emocional de cada órgano y su correlación con el metabolismo de las grasas. Asimismo, debe reconocerse el importante rol de las grasas en la salud emocional de las personas.

El sobrepeso es un problema de millones de afectados, una pesadumbre sobre el cuerpo y sobre la conciencia. Nuestro moderno cambio de cultura alimenticia nos trae esta secuela grasosa además de una débil autoestima. En la actualidad, hasta en las grandes ciudades de África, el continente con mayor hambruna del planeta, se está presentando cada vez más el problema de la obesidad.

Por otro lado, en el mundo occidental moderno, la primera causa de mortalidad en la población la constituye las enfermedades cardiovasculares, grupo al que pertenecen las enfermedades coronarias, infartos, trombosis, accidentes cerebrovasculares, arteriosclerosis e hipertensión arterial, entre otros. Según estadísticas, en EE.UU. las enfermedades cardio y cerebrovasculares representan actualmente el 35,2% de las muertes anuales reportadas entre personas de todas las edades. Entre las personas mayores, la muerte por enfermedades cardiovasculares representa el 53%, comparada con solo el 18% en 1900; esto es: en un siglo ha habido un aumento del 294%. Las enfermedades del corazón propiamente dichas son responsables del 28,5% de fallecimientos.

LOS ÁCIDOS GRASOS ESENCIALES (AGE)

Cabe preguntarnos, en el marco del mundo occidental moderno, ¿dónde está la causa o causas más importantes de este recrudecido mal y por qué estamos terminando la vida prematuramente? Una de las respuestas estaría en el consumo incorrecto de las grasas. Tal es la situación actual que, continuamente, somos envenenados por aceites desnaturalizados y parejamente carecemos por completo de ácidos grasos esenciales.

Es importante reconocer que así como hay grasas que dañan nuestra salud, hay también grasas que la fortalecen, esas grasas son conocidas con el nombre de ácidos grasos esenciales. Cuando hablamos de ácido graso esencial, la palabra "esencial" hace referencia a su carácter indispensable y crucial para el funcionamiento del cuerpo y que por no poder sintetizarse en el cuerpo necesita formar parte de nuestra dieta.

Según la FDA (Food and Drug Administration), existen 50 nutrientes esenciales para la salud: luz, oxígeno, agua, veinte minerales, trece vitaminas, proteínas (ocho aminoácidos en adultos y diez en niños), carbohidratos y dos ácidos grasos esenciales (el ácido linoleico y el alfalinolénico).

En el caso de las proteínas, el hombre moderno en las ciudades consume dos a cinco veces más de la dosis recomendada, pero paralelamente en zonas rurales de aguda pobreza hay carencia de proteínas, pero lo que sí es universal es que el grueso de la población carece de ácidos grasos esenciales, como el linolénico o también llamado omega 3. La población se preocupa por la falta de calcio, hierro o vitaminas, pero nunca imagina que una importante y crítica carencia de su dieta está en las grasas. Los ácidos grasos lideran en deficiencia nutricional. No tenemos las estadísticas para zonas rurales, pero en las ciudades donde existen costumbres alimenticias del hombre occidental moderno, obtenemos los siguientes datos sobre los nutrientes más carentes.

PORCENTAJE DE LA POBLACIÓN QUE OBTIENE MENOS DE LA DOSIS DIARIA RECOMENDADA	
Ácido graso omega 3	95%
Cromo	90%
Magnesio	75%
Calcio	68%
Vitamina A	50%
Vitamina C	41%
Vitamina B2	34%

Fuente: Hanes y NFCS

Los ácidos grasos esenciales contienen nutrientes fundamentales para muchos procesos metabólicos y funciones vitales, como el correcto funcionamiento del cerebro, corazón, sistema inmunológico, y son la materia prima que el cuerpo utiliza para producir hormonas, grasas cerebrales y prostaglandinas. Estos ejercen un efecto depurativo sobre el organismo, nos protegen de los daños causados por las grasas duras, bajan el colesterol, desengoman las arterias, lubrican las articulaciones, limpian el hígado y permiten establecer un equilibrio hormonal. Los ácidos grasos esenciales juegan un papel importante en casi todas las funciones del organismo, demasiadas para ser listadas aquí.

La naturaleza nos da una vasta diversidad de grasas, por ejemplo: el ácido oleico deriva su nombre de la oliva, pero también se encuentra en la palta, las almendras y pecanas; el ácido palmítico viene de la palma, el ácido caproico de la cabra y el ácido láurico se obtiene del laurel. Por último, están las dos grasas esenciales, el ácido linoleico y linolénico, cuyos nombres vienen del latín *linum* o linaza y sus nombres técnicos son omega 6 y omega 3, respectivamente. Aunque hay múltiples grasas en nuestros alimentos, tan solo dos son esenciales para el cuerpo.

DEFICIENCIA DE ÁCIDO LINOLEICO - OMEGA 6	DEFICIENCIA DE ÁCIDO ALFALINOLÉNICO - OMEGA 3
• Retraso de crecimiento	• Retraso de crecimiento
• Pérdida de cabello (alopecia)	• Retraso en el aprendizaje
• Erupciones en la piel	• Mala coordinación motriz
• Degeneración del hígado	• Debilidad
• Degeneración del riñón	• Visión debilitada
• Comportamiento alterado	• Comportamiento alterado
• Sudoración excesiva y sed	• Baja inmunidad
• Resequedad de glándulas	• Hipertensión arterial
• Susceptibilidad a infecciones	• Edema
• Heridas que no cicatrizan	• Adormecimiento de brazos y piernas
• Infertilidad en hombres	• Sequedad de la piel
• Abortos en mujeres	• Bajo ritmo metabólico
• Problemas al corazón, circulatorios y articulatorios	• Alto nivel de triglicéridos
• Sequedad vaginal	

Haciendo una simplificación de categorías, podemos decir que existen dos tipos de grasas: las saturadas y las insaturadas.

Las grasas saturadas contienen una gran cantidad de hidrógeno en sus cadenas moleculares, provienen de animales, carnes, queso, huevos, mantequilla y además del aceite de palma y coco. No son esenciales para el cuerpo y su acumulación o exceso son nocivos; al acumularse los depósitos grasos, lo hacen de manera perjudicial, creando arteriosclerosis, hígado graso, toxicidad e hipertensión arterial, entre otros. El consumo regular de grasas saturadas daña el sistema cardiovascular.

Las grasas insaturadas contienen enlaces dobles entre átomos de carbono, lo cual les permite no estar saturadas de átomos de hidrógeno; son líquidas a temperatura del ambiente. En este grupo se incluyen los ácidos grasos esenciales, que son un componente vital de cada célula humana.

A pesar de todas las virtudes de los ácidos grasos esenciales, los medios de comunicación y las industrias de alimentos condenan el aceite natural y nos instan a consumir sus productos *light* y *low fat*, bajos en grasa y con cero colesterol, y aceites vegetales en los que el aceite natural ha sido sustituido por el aceite refinado o por la margarina. Sin embargo, esto está muy lejos de ser una ventaja. Veamos por qué.

CÓMO SE EXTRAEN LOS
ACEITES VEGETALES DE COCINA

¿Cuál es la verdad oculta detrás de todos estos aceites vegetales que se consiguen en los mercados? Estos aceites se venden como aceites 100% vegetales y con cero colesterol, aun cuando el colesterol no existe en el reino vegetal. Todos ellos han sido refinados y para extraer el aceite de la semilla se han dado los siguientes pasos:

1. **Extracción con solventes químicos:** Después de la presión mecánica en frío de la semilla oleaginosa, para obtener el remanente de aceite las compañías utilizan un solvente derivado del petróleo, el hexano o heptano, más conocido como ga-

solina. Las hojuelas de semillas se ponen en contacto con el solvente a una temperatura entre 55° y 65° C bajo constante agitación. La mezcla líquida de solvente y aceite (denominada miscela) es separada de la torta de semilla, la cual es futuro alimento para animales. Luego el solvente es evaporado del aceite llevándolo a temperaturas de hasta 150° C. El solvente será reciclado para uso posterior. Dentro del aceite podrán quedar residuos de solvente a nivel de trazas. (Nótese que 110° C es el umbral en el que los ácidos grasos comienzan a alterarse químicamente).

2. **Desengomado:** El tratamiento se lleva a cabo con ácido fosfórico a una temperatura de 60° C. El proceso de desengomado remueve los fosfolípidos y la lecitina. También retira el hierro, clorofila, cobre, calcio y magnesio.

3. **Refinado:** El aceite es mezclado con una base extremadamente corrosiva de hidróxido de sodio o soda cáustica (este químico es el ingrediente activo del Drano, usado para desatorar lavabos) a una temperatura de 75-90° C. Se pierden ácidos grasos esenciales, fosfolípidos, proteínas y minerales.

4. **Blanqueado:** El blanqueado se hace con arcillas activadas con ácidos, se retiran pigmentos como la clorofila y el betacaroteno; también ciertas sustancias aromáticas se pierden en el proceso. La temperatura para el blanqueado es de 110° C durante 15 a 30 minutos.

5. **Desodorización:** Este es un proceso que se necesita aplicar al aceite para retirarle los malos sabores y olores, que son producto del mismo procesamiento, ya que no estaban en el aceite natural de la semilla. Es una destilación a vapor hecha a presión. Esto ocurre a 240-270° C, por un lapso de 30 a 60 minutos. La desodorización retira los aceites aromáticos y los restantes ácidos grasos libres, elimina los malos olores que están presentes en el aceite como ciertos aldehídos y cetonas; asimismo, se eliminan los peróxidos producidos durante el refinamiento y el blanqueado. Se pierde también la vitamina E y fitoesteroles, y se eliminan residuos de pesticidas.[2]

---

2 Udo Erasmus. *Fats and Oils.*

Proceso de extracción y refinamiento de aceites

Semillas

Presión mecánica
en frío

Hexano o
gasolina

65° C

Miscela

150° C

Solvente

**Extracción
con solventes**
• Residuos de solvente
quedan en el aceite.

Soda cáustica

Ácido fosfórico

Arcillas activadas
con ácidos

60° C

75-90° C

Desengomado

110° C

Refinado
• Retira ácidos grasos esenciales.
• Se pierden fosfolípidos, proteínas y minerales.

240-270° C

• Retira fosfolípidos, lecitina, gomas, clorofila, calcio, magnesio, hierro y cobre.

Blanqueado
• Retira pigmentos, caroteno, clorofila, sustancias aromáticas.
• Se forman peróxidos tóxicos.

Desodorización
• Retira aceites aromáticos, ácidos grasos, mal olor y sabor producido por el refinamiento.
• Se producen ácidos grasos trans.

Aceite
vegetal

Las altas temperaturas desnaturalizan por completo el aceite, destruyen sus enzimas y le retiran sus minerales y vitaminas. El resultado final es un aceite muerto, insaboro e inodoro, sin ningún poder nutritivo, al que la industria tiene que ponerle antioxidantes artificiales para que no se vuelva rancio. Conociendo que la desodorización de aceites alcanza entre 240 a 270° C, veamos lo que sucede con el aceite a estas temperaturas.

EFECTOS DE LA ALTA TEMPERATURA SOBRE EL ACEITE[3]
• Por encima de los 150° C, las grasas insaturadas se vuelven mutagénicas, es decir, peligrosas para nuestros genes.
• Por encima de los 160° C se forman los peligrosos ácidos grasos trans.
• Por encima de los 200° C comienzan a formarse en grandes cantidades los ácidos grasos trans.
• Más allá de los 220° C la producción de ácidos grasos trans aumenta exponencialmente.

El ácido graso trans se produce cuando ha tenido lugar una transconfiguración de la cadena molecular del aceite y los átomos de hidrógeno se han movido de lugar. Son grasas tóxicas para el organismo, crean radicales libres, son mutagénicas y cancerígenas. En el cuerpo, su bioquímica se asemeja en comportamiento más a una grasa saturada (animal) que a una insaturada (vegetal).

CONTENIDO DE GRASAS TRANS EN ALGUNOS ALIMENTOS[4]	
Productos de panadería	38,0%
Aceites vegetales	13,7%
Dulces y pasteles	38,6%
Papas fritas	37,0%
Margarinas duras	36,0%
Margarinas blandas	21,3%

3   Idem.
4   M.G. Enig. *Fatty acid composition of selected food items with emphasis on trans octadecenoate and trans octadecedienoate.*

Sin embargo, las industrias de aceite están muy orgullosas de decirnos que su aceite es 100% vegetal, poliinsaturado y con cero colesterol, lo que en teoría debería ser un buen y sano aceite. Pero no se molestan en decirnos cuánto de su aceite está en configuración trans y menos aún de los peligros de esta grasa. Nosotros no sabemos que estamos consumiendo un aceite trans, pero nuestro cuerpo sí lo percibe. Muchos investigadores creen que esta es una de las causas primarias para las enfermedades que más nos afectan en la era moderna: el cáncer y las enfermedades del corazón. Las grasas trans abren camino dentro de los tejidos y se incorporan en órganos como el cerebro, corazón y pulmones; naturalmente, las propiedades de tales tejidos son afectadas.

CONSECUENCIAS DE INGERIR GRASAS TRANS

- Agravan la deficiencia de ácidos grasos esenciales interfiriendo con los sistemas enzimáticos que producen ácidos grasos altamente insaturados, los cuales se encuentran en altas concentraciones en el cerebro, órganos sensoriales, testículos y glándulas adrenales.
- Interfieren en la producción de prostaglandinas, por lo tanto afectan las paredes arteriales, la regulación de presión sanguínea, la agregación plaquetaria, la función renal, la respuesta inflamatoria y el sistema inmunológico.
- Tienen un corrosivo efecto sobre las arterias, incrementando el tamaño de las placas de ateroma. Aumentan el colesterol total y disminuyen el colesterol bueno HDL.
- Disminuyen los niveles de testosterona e incrementan la debilidad de espermatozoides en los animales.
- Disminuyen la eficiencia de la respuesta inmunológica.
- Alteran las actividades enzimáticas del hígado y su capacidad de procesar cancerígenos y toxinas.
- Reducen la respuesta insulínica (no deseable en los diabéticos).

MARGARINAS

En el caso de las margarinas, estas se obtienen calentando nuevamente el aceite vegetal a temperaturas de hasta 180° C. Luego se le bombardea átomos de hidrógeno –es decir, gas a presión– con un catalizador metálico, el níquel, hasta que se endurece lo suficiente. El resultado de la hidrogenación es un polímero con estructura molecular muy similar a la del plástico.

El producto final de la gelatinización del aceite es una grasa altamente tóxica para el organismo. Un estudio ha demostrado que existen hasta un 60% de ácidos grasos trans en ciertas margarinas, con tan solo el 5% de ácidos grasos esenciales. El promedio de contenido de ácidos grasos trans en la margarina es 31%, con un rango que va entre 9,9% y 47,8%, dependiendo de la marca.[5]

Sin embargo, justificado bajo el paraguas de ser vegetal y con alevosía silenciosa, en la televisión y las revistas vemos imágenes de mujeres esbeltas que relacionan las margarinas con una dieta saludable para niños, ideal para deportistas, baja en calorías y –sobre todo– sin colesterol.

Hoy se sabe que las grasas de las margarinas pueden atravesar las membranas celulares e impedir la formación de las prostaglandinas; también dan lugar a sustancias agresivas para las células.

Cuando los aceites naturales son eliminados de la dieta en favor de aceites hidrogenados, el cuerpo es forzado a utilizar estas moléculas grasas desnaturalizadas en lugar de los ácidos grasos ausentes en la dieta. El doctor Igram, científico nutricionista pionero en EE.UU., nos describe lo que ocurre en el sistema inmunológico al utilizar estos aceites refinados.

Las células blancas (leucocitos) son los pilares del sistema inmunológico y dependen particularmente de ácidos grasos esenciales; estas células incorporan en sus membranas las grasas hidrogenadas que consumimos, lo cual hace que las células se vuelvan perezosas, ineficaces y que sus membranas se vuelvan rígidas. Tales células son pobres defensoras contra las infecciones, lo cual deja al cuerpo abierto a los trastornos y estragos de un sistema inmunológico comprometido; es decir, el cáncer, las

---

5   Idem.

infecciones con levadura y virus de todo tipo que pueden fácilmente ganar terreno. En realidad, una de las maneras más rápidas de paralizar el sistema inmunológico es comer regularmente cantidades significativas de frituras o grasas como la margarina. No es de sorprenderse que el consumo de margarina y aceites hidrogenados esté asociado a una mayor incidencia de diversos tipos de cáncer.

El cáncer frecuentemente está relacionado con dietas altas en grasas; si esta información la contrastamos con las estadísticas de incidencia de cáncer de los últimos años, nos quedamos con sanas sospechas sobre el uso de aceites refinados e hidrogenados. Por ejemplo, en 1900 una de cada treinta personas fallecía a causa de esta enfermedad; en 2002, una de cada cuatro. Estos análisis estadísticos no son una prueba que inculpe a los aceites refinados, pero es válida la pregunta, ya que ha existido un aumento paralelo entre el cáncer y el consumo de estos modernos aceites. También hay evidencia científica que demuestra que las grasas omega 3 inhiben el cáncer y que la deficiencia de los ácidos grasos está asociada a ciertos tipos de esta enfermedad; estas informaciones reafirman nuestras sospechas.

El consumo regular de aceites refinados e hidrogenados está asociado a un alto riesgo de arteriosclerosis, enfermedades cardiacas, candidiasis e hipertensión arterial. Estos aceites están presentes en casi todos los alimentos procesados y empacados, desde las galletas que compramos en el quiosco hasta el aceite que usamos en casa.

El corazón es un amigo particular de las grasas naturales como combustible; sus células son especialistas en convertir las grasas en energía. Las grasas tienen alrededor del doble de eficiencia en la producción de energía que cualquier otro combustible, incluidos los carbohidratos complejos y azúcares naturales. Esta conversión de grasa en energía ocurre en pequeñas plantas energéticas que existen en cada célula, llamadas mitocondrias, las cuales prefieren las grasas antes que cualquier combustible. Pero la grasa debe ser natural y no adulterada para darnos un rendimiento viable de energía celular.

HACIENDO HISTORIA: LAS GRASAS DE NUESTROS ANTEPASADOS Y LAS NUESTRAS

En los últimos años nuestro consumo de grasas se ha visto profundamente modificado, ya que las grasas de nuestra dieta son muy distintas a las de nuestros antepasados. Estamos sujetos a una larga cadena de enfermedades degenerativas por un cambio de cultura alimenticia. La dieta moderna tiene 80% menos de grasas importantes para el desarrollo cerebral que la dieta de nuestros abuelos hace cien años.

Esto ha sucedido porque hemos pasado a consumir mayor cantidad de grasas animales, grasas de animales domesticados que tienen mucha mayor proporción de grasa corporal de la que tiene un animal silvestre. Igualmente, hemos iniciado la absurda, aunque lucrativa, práctica de refinar los aceites vegetales. La cultura y los ingredientes de la cocina *fast food* no se encuentran solo en McDonald's, KFC o Pizza Hut sino también en la bodega de la esquina y los supermercados donde acudimos a diario.

Antiguamente, la proporción de consumo entre ácido linolénico (omega 3) y ácido linoleico (omega 6) era de 1 a 1 ó 1 a 4, en el peor de los casos. Hoy en día los científicos estiman que la proporción entre omega 6 y omega 3 es de 30 a 1, y en algunos casos severos de hasta 40 a 1.

Haciendo un perfil de la grasa total del cuerpo humano, podemos ver que varía mucho en su contenido de grasas saturadas, monosaturadas y poliinsaturadas. Entre las grasas poliinsaturadas tenemos los dos ácidos grasos esenciales de la dieta, omega 3 y omega 6. Cualquier otra forma de grasa es prescindible al organismo, salvo los fosfolípidos (por ejemplo, la lecitina de soya) que juegan un rol importante en el desarrollo de las membranas celulares. La siguiente tabla nos muestra los contenidos actuales en porcentaje de ácidos grasos esenciales dentro del tejido lípido de distintas poblaciones.[6]

---

6   U. Erasmus. Op. Cit.

PORCENTAJE DE ÁCIDOS GRASOS ESENCIALES SOBRE LA GRASA CORPORAL TOTAL	
Estadounidenses obesos	9,8%
Estadounidenses normales	10,7%
Británicos omnívoros	13,1%
Japoneses	19,4%
Israelíes	24,5%
Británicos vegetarianos (veganos)	27,8%

En este muestreo se encontró que los que presentan la incidencia más baja de enfermedades degenerativas fueron los japoneses y los británicos vegetarianos. Sépase que esta muestra se tomó de vegetarianos llamados veganos, los cuales no consumen productos animales como queso, leche o huevos; estas poblaciones tienden a consumir suficientes cantidades de vegetales verdes, nueces y semillas de girasol, ajonjolí o linaza, ricos en estos aceites. Los japoneses gozan de salud cardiovascular por la protección que ofrecen los pescados crudos que consumen.

La población israelí tiene un mejor perfil de grasas y esto podría explicarse por el alto consumo de tahini o pasta de ajonjolí, el humus, las nueces de pino, piñones, garbanzos y pistachos.

La manera de cambiar la representación de grasas en el cuerpo es incrementando el consumo de grasas omega 3. Esto se logra reemplazando el exceso de azúcar, harinas refinadas, carnes saturadas y aceites refinados por comidas como: linaza, nuez, verdolaga, semillas de calabaza, girasol, ajonjolí, germen de trigo o vegetales verdes y pescados de agua fría.

LOS ACEITES Y EL ENVEJECIMIENTO PREMATURO

Los aceites son delicados, se pueden dañar exponiéndolos a la luz y al oxígeno (además de a altas temperaturas). Si un aceite se daña, ocurre la oxidación y esto genera fragmentos químicos siniestros llamados radicales libres, asociados al cáncer, las enfermedades coronarias, la artritis reumatoide y el envejecimiento prematuro.

La oxidación inducida por la luz es mil veces más rápida que la oxidación que ocurre en la oscuridad, razón por la que debe conservarse el aceite en botellas oscuras.

Los radicales libres aceleran el envejecimiento al destruir las células saludables, dañando también el colágeno, constituyente primario de los huesos, cartílagos y tejidos conectivos. Mientras se envejece, hay una disminución de colágeno que ocasiona cambios en la piel (arrugas, heridas que tardan en cicatrizar), uñas quebradizas, problemas en los ojos (resequedad, ojeras oscuras), encías (sangrado, infecciones), cabello (resequedad, alopecia), boca (mal aliento, úlceras). Para limitar la acumulación de radicales libres, es importantísimo utilizar aceites vegetales no refinados ni hidrogenados. Un buen aceite debe ser insaturado, prensado en frío, conservado en botellas oscuras que impidan el ingreso de la luz, además de estar bien selladas.

La naturaleza nos da buenos aceites, con sus antioxidantes incluidos. Los aceites poliinsaturados son muy vulnerables a las oxidaciones, por lo tanto deben conservarse sus antioxidantes para protegerlos. Uno de los más poderosos antioxidantes, la vitamina E, tiene sus más altas concentraciones en semillas como el ajonjolí, el girasol o el germen de trigo.

LOS ACEITES Y LA SALUD DE LA PIEL

Nuestra piel es una revelación de la salud interna. Con la finalidad de mantener la belleza, algunas mujeres adquieren pomos de cremas humectantes e hidratantes, unas que usan de día y otras de noche. Sin embargo, la manera legítima de lubricar la piel es desde el interior, por medio del consumo oral de ácidos grasos esenciales.

Los pacientes que tras sesiones de quimioterapia, presentan la piel reseca y agrietada como un lagarto, recuperan rápidamente su piel original con la suplementación de ácidos grasos. El aceite, estando en la sangre, tiene un acceso más inmediato a la piel que si se unta sobre la misma. Por lo tanto, es preferible consumir aceites asequibles al bolsillo, en vez de aceitarse con lujosas frotaciones de cosméticos.

La piel se mantiene sana con aceites buenos y fluidos, pero si se consumen grasas duras –como las de quesos, mantequilla, cerdo o res– estas taponan los poros y se invita a un banquete para las bacterias del acné. Una piel nutrida con ácidos grasos esenciales es más suave y sedosa, aparece radiante, se infecta menos y envejece y se arruga más lentamente.

Para finalizar con el tema de la piel, comento una interesante anécdota de la doctora Budwig,[7] una científica alemana que ha sido nominada once veces para el premio Nobel sin obtenerlo hasta ahora. Ella declara que le han negado el premio porque se confronta con industrias de alimentos. Al margen de la política, se le puede considerar como la especialista número uno en el tema de aceites. Ella asevera algo novedoso y audaz: cuando consumimos regularmente la linaza, hay mayor presencia de omega 3 en nuestra piel y este aceite no solo nos ofrece un buen aspecto desde el punto de vista estético, sino que el ácido graso actúa como antena cósmica. Es decir, la piel absorbe los fotones de la radiación solar para darnos energía, gracias a las propiedades de este aceite poliinsaturado. Estos fotones a su vez son transferidos a enlaces químicos que se pueden utilizar para reacciones bioquímicas futuras. Según la doctora Budwig, la fotosíntesis es un proceso que no se limita al reino vegetal.

CONSEJOS SALUDABLES PARA OBTENER ÁCIDOS GRASOS ESENCIALES

El único aceite que podemos conseguir en el mercado con relativa facilidad y que ha sido prensado en frío es el de oliva extravirgen; es un aceite monoinsaturado (omega 9) con buenas

---

7   Johanna Budwig. *Flax Oil as a True Aid Against Arthritis, Heart Infarction, Cancer and Other Diseases.*

propiedades, pero no es una fuente de AGE. En las farmacias se venden cápsulas de ácidos grasos esenciales, por ejemplo el Gamaline, un producto descomunalmente costoso (26 dólares por 100 cápsulas de 1 g cada una).

La linaza está ganando vertiginosa popularidad como una de las más ricas fuentes de AGE. Los emolienteros la vienen utilizando desde hace años, pero desgraciadamente solo usan el mucílago y desechan lo más importante, la semilla, que es donde se encuentra el aceite. La linaza debe ser consumida preferiblemente cruda e inmediatamente después de haber sido pulverizada, pues después de molida solo se conserva por cuatro horas. No se recomienda la harina de linaza vendida en muchos establecimientos ya que sus aceites están oxidados, lo cual corroe las arterias.

El ácido graso esencial más difícil de conseguir, y de excelentes propiedades, es el alfalinolénico, omega 3.

ALIMENTOS CON MAYOR CONTENIDO DE OMEGA 3	
Linaza	58%
Sacha inchi	47%
Kukui	29%
Marihuana (semillas de *Cannabis sativa*)	20%
Semilla de calabaza	15%
Soya	7%
Germen de trigo	5%

Además, la linaza contiene ácido linoleico (omega 6), oleico, esteárico y palmitoleico. También minerales como potasio, fósforo, magnesio, calcio, hierro, zinc y manganeso, además de trazas de sodio, cobre, yodo, molibdeno, cromo, níquel, cloro, vitaminas B1, B2, C y E, lecitina y fosfolípidos. La linaza contiene todos los antioxidantes para mantener su aceite; si la consumimos fresca y molida al instante, estos antioxidantes serán asimilables por el cuerpo. La fibra y el mucílago de la linaza son una de las mejores "escobillas" naturales para limpiar el tracto digestivo; son laxantes, bajan el colesterol y combaten la acidez estomacal.

La linaza debe pulverizarse ya que entera pasaría por el tracto digestivo sin ser asimilada. Lo mejor es triturarla con un molino de café. Una dosis de 2 ó 3 cucharadas diarias es suficiente, tres cucharadas de semilla equivalen a una de aceite líquido. Estas se pueden espolvorear sobre la comida, sobre ensaladas o arroz o sobre distintas pastas como si fuera queso parmesano; también se puede mezclar con jugos de frutas.

El uso de la semilla de linaza es preferible en el caso de mujeres, pacientes con cáncer y en casos de estreñimiento; mientras que para los niños es mejor utilizar la de sacha inchi debido a su alto contenido proteico y fácil digestibilidad. El aceite de ambas semillas, sin embargo, sí puede usarse en todos los casos.

✒ Desayuno adelgazante rico en AGE ✒

1   cucharada de aceite de sacha inchi o linaza prensado en frío
1   cucharada de miel de abeja
2 a 3 cucharadas de linaza cruda y pulverizada
1   cucharada de ajonjolí
1   cucharada de lecitina de soya granulada
1   cucharada de levadura de cerveza
2   o más cucharadas de salvado de avena o avena cruda
1   manzana rallada
Frutos secos al gusto: pasas, pecanas, almendras, higos, trigo germinado, coco desecado

Moler las semillas y la avena en una trituradora y añadir agua hasta formar una papilla.

Recordemos que el corazón trabaja para nosotros durante toda la vida, sin descanso alguno; ya tiene suficiente trabajo, no le demos más. No le demos más aceites refinados o hidrogenados.

APÉNDICE

¿Por qué las cápsulas de omega 3 no son la solución?

Hoy en día se ha puesto de moda consumir cápsulas de ácidos grasos esenciales. Muchas personas que no se quieren dar el trabajo de comer y moler semillas oleaginosas, y para quienes el dinero no es una limitación, equivocadamente pueden optar por cápsulas de omega 3. Estas cápsulas, por lo general elaboradas con aceites de pescado, tienen el problema de generar un reflujo gástrico con sabor a pescado y, además, son cápsulas de tan alta concentración que pueden ocasionar problemas como la oxidación.

El ácido alfalinolenico (omega 3) tiene 18 carbonos y en el cuerpo se elonga en dos grasas diferentes de cadena más larga, el eicopentanoico (EPA) de 20 carbonos y el docohexanoico (DHA) de 22 carbonos. Estas dos están presentes en pescados y en algas marinas. Son también esenciales; son elongadas por el organismo rítmicamente de acuerdo con la necesidad del cuerpo, pero consumidas en exceso quedan circulando en la sangre sin absorberse. Además son grasas altamente oxidables y su oxidación produce el envejecimiento prematuro y deteriora las paredes arteriales. Se ha calculado que el cuerpo requiere 200 mg de DHA, y unos 100 mg de EPA diarios, calculado para un cuerpo que consume 2000 calorías diarias. Cualquier excedente a esta cantidad resulta ser perjudicial para las arterias.

Ahora bien, las cápsulas de omega 3 tienen concentraciones de 1000 mg de aceite de pescado donde existen desde 120 hasta 240 mg de DHA. Las cápsulas son de 1000 mg (también las hay de 2000 mg) y las industrias de estos suplementos recetan hasta 4 de estas cápsulas diarias, es decir, estaríamos consumiendo entre 360 y 720 mg de DHA, lo cual es bastante más de lo requerido por el cuerpo. Si se va a consumir omega 3 como suplemento debe ser en dosis no superiores a los 1000 mg de pescado diarios. Mucho más seguro es consumir fuentes de alfalinolenico (linaza, sacha inchi, germen de trigo) y dejar que el cuerpo haga la conversión en DHA y EPA según su necesidad.

Si se utiliza el aceite de pescado para mejorar el estado de ánimo, o para fomentar la capacidad de estudio, 1 a 2 g (1000 a 2000 mg) de omega 3 (180 mg EPA y 120 mg DHA aproximadamente) es la dosis recomendable. Un caso particular y excepcional es cuando se trata de desorden bipolar, aquí lo recomendable es hasta 9 gramos de omega 3 (6,2 g de EPA y 3,4 g de DHA) diarios en la fase inicial, y luego bajar a entre 2 y 5 g diarios. Estas dosis muy altas de omega 3 deben hacerse solo bajo supervisión médica, durante un periodo de tiempo determinado y siempre consumiendo abundantes antioxidantes.

CAPÍTULO DOS

Los aceites originales del riñón

COSMOGÉNESIS

道生一，一生二，二生三，三生万物。

Tao sheng yi, yi sheng èr, èr sheng san, san sheng wàn wù
[El Tao crea al uno, el uno crea al dos, el dos crea al tres, el tres crea a los diez mil seres]

Esta frase define el punto de partida de la filosofía y medicina china. La cosmogénesis del universo y el hombre debe conocerse de manera breve para abarcar aspectos de la nutrición desde el punto de vista de la medicina china. La medicina china nos dice que el hombre es el universo en miniatura y que todos los elementos y las leyes del universo están contenidos en el hombre.

El *Tao*, como referente absoluto, crea la unidad, de ahí se produce una chispa universal que desencadena un desarrollo de eventos. La unidad es un estado no diferenciado de la energía, es energía cruda, es la base desde la cual todas las energías se originan, es la materia prima sobre la que se ejecuta la transformación. En filosofía china se le llama *Wu Ji*, caos primordial o esfera de caos. Wu Ji podría entenderse como la masa de barro amorfa del ceramista antes de que tome forma y vida.

太极两仪阴阳

Tai ji liang yi yin yang
[Grande-extremado-polo tiene dos instrumentos *yin* y *yang*]

Este texto se refiere a la unidad y a su conformación a partir de dos instrumentos: *yin*, pasivo, receptivo; y *yang*, activo, dinámico. En esta cosmogénesis, en la que el universo se designa con un concepto dual, *yang* es el Cielo *(Tian)* y *yin* es la Tierra *(Di)*.

CIELO *(TIAN)*	TIERRA *(DI)*
Yang	*Yin*
Activo	Pasivo
Calor	Frío
Ascenso	Descenso
Expansión	Contracción

El hombre vive como consecuencia de las interacciones de energías *yin* y *yang*, y su vida está situada entre las influencias cósmicas del cielo y de la tierra. Del hombre, el cielo y la tierra, a su vez, provienen los diez mil seres de los que habla la primera frase. *Wan wu* es una analogía de la filosofía china al infinito.

ANDROGÉNESIS

Hasta ahora todo es relativamente sencillo, se ha hecho este resumen para poder ver sus paralelos en el cuerpo humano. Cuando el espermatozoide se une con el óvulo, a la energía del cigoto se le llama *Yuan Qi* o energía original. Al igual que la unidad del *Tao*, es un estado de energía potencial, pero en estado de potencial infinito.

Esta energía embriónica sigue presente a lo largo de la vida, es nuestro sello o esencia. En el cuerpo se le sitúa en muchos lugares, en realidad en cada núcleo de célula, pero un espacio de particular importancia está a la altura de la segunda vértebra lumbar y se le conoce como la energía que se mueve entre los riñones, *Ming men* o Portón de la Vitalidad. En las técnicas de *Tai Chi* y *Qi Gong* se le conoce como *Dantien*, y en Japón como el *Hara*. Es en este espacio donde todas las energías tienen su fuente.

La primera energía en surgir de este espacio se denomina *Chong mai* y se traduce como "canal penetrante". *Chong*, en lengua mandarín, se entiende como "chorro", "surgir", "brote" o, inclusive, "estallido". Se dice que es el canal más profundo; como un chorro de energía atraviesa el corazón, el plexo solar, el abdomen, el útero en la mujer y la próstata en el hombre y es en el perineo donde se divide en dos ramas. Un canal *yin* (vaso concepción) asciende por adelante y otro *yang* (vaso gobernador) asciende por la parte posterior.

Este bosquejo de la arquitectura de la energía en medicina china siempre nos remite al núcleo, o el espacio entre los riñones. La representación material de *Jing* o esencia es el semen en el hombre y en la mujer el óvulo.

Jing viene a ser como la quintaesencia de fluidos y vapores en el cuerpo y no tiene una correspondencia precisa en la medicina occidental moderna, aunque sí se pueden encontrar varios paralelos, en hormonas como la deshidroepiandrosterona (DHEA), los ácidos nucleicos, el sistema endocrino en su conjunto y en particular en las hormonas sexuales. Asimismo, las grasas esenciales ocupan un lugar privilegiado en este campo, ya que son el común denominador de lo que están compuestas estas sustancias.

La medicina china nos dice que *Jing* es una esencia que viene de los padres, es un legado genético y hereditario. Se nace con cierta cantidad y calidad de *Jing* y en el momento de nacer el *Jing* comienza a declinar. *Jing* viene a ser semejante a una batería con cierta carga almacenada, la batería de la vida. Al nacer, es como si volteáramos un reloj de arena y lentamente fuéramos consumidos hasta que llega el final, cuando partimos de este mundo.

JING 精

En el ideograma chino para *Jing*, esencia, tenemos la imagen de un grano de cereal que está en estallido. El símbolo representa la liberación de energía del grano, ya sea en la tierra para germinar y dar lugar a otra planta o en el estómago para proporcionar nutrientes y combustible.

El tema de la esencia o *Jing* es una constante en la alquimia china, en las prácticas taoístas de cultivo sexual, en la meditación y en la regulación de la respiración. La práctica médica también lidió con este tema.

La medicina china señala que, de todos los órganos, la esencia se encuentra especialmente en los riñones y son ellos los que gobiernan el *yin* del cuerpo. Su reflejo lo vemos en las orejas —recuérdese que las imágenes de Buda siempre lo retratan con orejas enormes, como una representación de la vitalidad de sus riñones. También las orejas tienen forma de riñón. Lo que se encuentra en la cavidad abdominal tiene su representante en la cabeza, con la que guarda relaciones de equivalencia. Por ejemplo, con el paso del tiempo las personas mayores pierden la audición o desarrollan tínitus (zumbidos en el oído), esto es señal de que la esencia del riñón ha comenzado a declinar. Los pies también son gobernados por el riñón, tienen forma de riñón y al estar en contacto con la tierra son la parte más *yin* del cuerpo. Así, por ejemplo, calor en la planta de los pies denota calor en los riñones, otro síntoma común en personas de edad.

Otros síntomas de disminución de la esencia del riñón son las canas, la alopecia, la resequedad en la piel, el debilitamiento de los huesos, una baja libido sexual y la menopausia. Síntomas que, por lo general, son asociados con la vejez.

También se deben agregar síntomas de calor vacío: sudoración nocturna, bochornos y calor en la noche, nocturia, dificultad o reducción en las horas de sueño, hipertensión arterial y palpitaciones del corazón. A todos estos síntomas se les denomina "falso exceso" porque son manifestaciones de *yang*, de exceso y calor, compensatorios debidos a una debilidad o insuficiencia *yin* que subyace.

La medicina china, al igual que la electrónica, indica que la energía circula gracias a los polos negativo *(yin)* y positivo *(yang)*. Para entender el "falso exceso", podemos usar la alegoría del agua y el fuego. El agua-*yin* y el fuego-*yang* deben estar en balance, pero si existe insuficiencia de *yin* o agua, el fuego arderá con mayor fervor, dándonos un hervidero de síntomas de exceso y calor como los antes descritos. Nos engaña como un exceso, pero en realidad es una deficiencia.

No se piense que la deficiencia *yin*, o insuficiencia de la esencia del riñón, está circunscrita solo a personas mayores. Los niños con frecuencia sufren esta insuficiencia y se manifiesta en ellos como un bloqueo de inseguridad afianzado en los riñones. Tal fue el caso de un niño de siete años que estuvo en la clínica al padecer enuresis nocturna, problemas de adenoides y asma. La enuresis nocturna es indicadora de que la energía del riñón no es lo suficientemente firme como para poder sujetar la orina. La noche, siendo *yin*, es el momento en que el cosmos recolecta la energía *yin* y la lleva a las profundidades del organismo, esto quiere decir que la energía se vierte hacia el interior. El riñón es como un imán que atrae todo hacia el centro y, al estar debilitado, la orina se disipa sin control.

Al tener forma de semilla leguminosa, los riñones, de manera simbólica, representan la esencia de la semilla del hombre y la mujer. Es ahí donde está registrado lo que el niño ha heredado de sus padres, tanto genética como afectivamente. Un riñón es el padre y el otro la madre, la interacción entre ellos es reflejo de la naturaleza de la relación entre los padres.

Al observar al niño con enuresis, vemos que todos sus síntomas señalan una obstrucción en la dinámica de sus riñones. Fue la madre la que confesó que en su matrimonio existían agudas tensiones y que el niño había estado expuesto a separaciones y discordias entre sus padres. Esta situación hace que los riñones, el uno hacia el otro, se encuentren en estado de tensión. La enuresis es reflejo de la inseguridad afectiva registrada en este nivel. La emoción que desvela el riñón es el miedo; la emoción que nutre el riñón es la ternura y la seguridad. Otras manifestaciones de insuficiencia del riñón son ciertos tipos de convulsiones agudas infantiles y la hiperactividad.

En el adulto, los bloqueos a esta zona dan inseguridad para con la pareja, tanto en relaciones heterosexuales como homosexuales. Más aún, en los homosexuales es común encontrar estas situaciones y son particularmente susceptibles a tener dificultades en este ámbito. Puede decirse que el bloqueo en los riñones ocasiona un miedo a entregarse y corresponder afectivamente a los demás. Es el miedo el que paraliza al amor.

Una vez, entró al consultorio un paciente, Felipe, colgado de un par de muletas, aquejado de un problema en las rodillas, específicamente los tendones, y la operación fue señalada como la única salida. Como muchas personas había escuchado del poder anestésico de la acupuntura y venía buscando aliviar el dolor, sin embargo, en muchos casos la medicina china no solo ofrece una anestesia sino también una reflexiva mirada interna de la historia detrás de su enfermedad. Este paciente tenía 31 años, era apuesto, querido y popular entre sus amigos pero, explicó, nunca había tenido enamorada. Estuvo profundamente enamorado de una bella mujer a quien nunca le declaró su amor, y con el paso del tiempo finalmente fue invitado al matrimonio de su amor platónico. Estando ese día en la iglesia, envenenado de amor, viendo como su amada se casaba con otro hombre, repentinamente siente un leve estallido en su oído derecho y desde ese momento pierde totalmente la audición de ese oído. Este paciente reporta también sueño alterado por miedos, pesadillas y temores. Además, su lengua es pálida y el pulso profundo en la mano izquierda. Todos los síntomas, aunque apartados y aparentemente inconexos, están estrechamente ligados. La rodilla es gobernada por el riñón en medicina china, como lo es también el oído, los temores evidentes en los sueños y en su incapacidad de entregarse y arriesgarse en el amor, todo lo cual nos remite a una deficiencia de la energía de los riñones.

Para seguir con el uso de imágenes, las semillas de los riñones nacen y germinan en un tallo largo y vertebrado como la columna, luego florecen en la corteza cerebral y el líquido cefalorraquídeo. Ahí tenemos la semilla, el tronco y la flor, y las correspondencias que las unen entre sí.

Desde el punto de vista nutricional, la esencia *Jing* está ligada a las grasas, las cuales son nuestro tema de estudio. A partir de las grasas formamos las prostaglandinas de la próstata, las hormonas sexuales, las hormonas de las glándulas suprarrenales y la deshidroepiandrosterona. El contacto sexual y las caricias son una combustión refinada de grasas excitantes.

Conforme a la sabiduría popular oriental, el consumo de grasa apoya el principio *yin*, crea una sensación de seguridad. Las grasas centran, enlentecen y arraigan, construyen tejido y promueven metabolismo de fluidos, dirigiendo los nutrientes hacia el sistema nervioso. Es ahí donde la grasa *yin* se convierte en *yang*, dando energía e incrementando el ritmo metabólico.

Tan importante es el tema de los aceites que es necesario reivindicarlo. A la grasa injustificadamente se la acusa de representar un papel indigno. El mercado está lleno de productos descremados, desgrasados, *light*, *low fat*, cero colesterol y, sin embargo, los adeptos y adictos a estos productos son los más obesos y su lucha incesante contra la gordura y grasa no parece dar resultado.

Otras personas que saben de salud buscan expresamente los aceites de primera calidad, como el de calabaza, el de prímula, linaza, ajonjolí y girasol, y ellas nunca sufren de sobrepeso. El asunto está en saber consumir la grasa de la salud y longevidad y en evitar la grasa de la muerte.

DHEA (deshidroepiandrosterona):
UNA HORMONA ESENCIAL

La deshidroepiandrosterona (DHEA) es una grasa que tiene un espectro de acción muy similar al *Jing* o esencia y también es la hormona andrógena (sexual) más abundante en el hombre y en todos los mamíferos. Es segregada por las glándulas adrenales y también en cierta medida por los ovarios y testículos, y es la hormona precursora de otras hormonas esteroidales, como la testosterona y el estrógeno.

Los niveles más altos de DHEA se obtienen alrededor de los 25 años; al llegar a la edad de 80, los niveles de DHEA solo llegan al 10 ó 20% de lo que fue su nivel máximo en la juventud.

Además de ser la materia básica para la construcción de hormonas sexuales, también lo es de la aldosterona y el cortisol, la DHEA juega un rol mayor en la inmunidad. Hay estudios que señalan que la DHEA es la hormona crítica que determina y predice la enfermedad o la salud.

Los niveles de DHEA se encuentran deficientes en cada una de las principales enfermedades, como son: obesidad, diabetes, hipertensión arterial, cáncer, desórdenes inmunológicos y enfermedades al corazón; el suplemento de DHEA da beneficios a todas estas enfermedades, sin problemas a la salud o efectos colaterales.

A la DHEA se la conoce como la hormona que detiene el envejecimiento; más aun, nuestro envejecimiento biológico puede medirse por los niveles de DHEA en la sangre. Existen dos condiciones en que los niveles de DHEA descienden: en enfermedades crónicas o degenerativas y en el envejecimiento natural.

La DHEA se encuentra en el cerebro en concentraciones iguales a las que se encuentran en la corteza adrenal. Cumple importantes funciones en el cerebro, para la memoria, y en el metabolismo de la serotonina. Se sabe que la DHEA mejora el estado anímico de las personas.

En el organismo la DHEA se elabora a partir del colesterol. Pero es interesante observar que con el paso del tiempo los niveles de DHEA descienden, mientras que los niveles de colesterol aumentan. Esta situación implica que los niveles de DHEA disminuyen no por falta de colesterol, pero sí por la dificultad del cuerpo para convertir DHEA a partir del colesterol. Esto quiere decir que lo que falla con la edad son los procesos enzimáticos de conversión, los que a su vez son dependientes de vitaminas y minerales.

Ciertos estudios señalan que el estrés desabastece al cuerpo de sus reservas de DHEA, al mismo tiempo que incrementa los niveles de cortisol. Acorde con uno de esos estudios, se encontró que los practicantes de meditación mostraron niveles más elevados de DHEA. Los resultados de laboratorio nos dicen que, comparativamente, los hombres que meditan tienen 23% más DHEA, mientras que las mujeres que meditan tienen 47% más altos estos niveles.

Maneras naturales de aumentar los niveles de DHEA incluyen la meditación y el ejercicio regular. También hay estudios que indican que ciertos circuitos de acupuntura están asociados a la regulación de gónadas sexuales, tiroides, pituitaria y cerebro. La acupuntura puede elevar los niveles de DHEA hasta en un 56%.

 ## CONSEJO SALUDABLE PARA EL FORTALECIMIENTO DEL RIÑÓN

El riñón almacena el *Jing* y nuestras reservas de *Jing* determinan nuestra vitalidad, longevidad, resistencia a enfermedades y poder reproductivo. Es la batería que impulsa nuestro motor fisiológico y les da fuego digestivo al estómago y al páncreas, que son los grandes productores de energía. El *Jing* se almacena en el riñón pero también se concentra en el cerebro, el hígado, la retina, el testículo, el óvulo y la médula ósea.

Los signos de deficiencia *Jing* son: impedimento en el crecimiento, enfermedades congénitas, desarrollo físico y mental retardado, madurez lenta e incompleta, huesos débiles, raquitismo, impotencia y otros problemas reproductivos, senilidad prematura. Otros signos son alopecia, mareos, rodillas débiles y dolor lumbar.

Comidas tónicas del *Jing*	
Hierbas medicinales	Las hierbas medicinales asociadas a la esencia del riñón son diversas, como representantes andino-amazónicos podemos citar la maca, el iporuro, clavo huasca, chuchuhuasi; de la materia medica china tenemos la *Rhemania glutinosa*, *Lycium barbarum*, *Schizandra chinensis*, *Cinnamomum cassia*, *Alpinia oxyphylla*, *Cuscuta chinensis* y *Dipsacus asperoides* entre muchas otras.
Placenta	La placenta humana se puede encontrar en farmacias chinas, vendida en trozos secos o en polvo. Es un remedio de primer orden para la depresión postnatal, desórdenes en la reproducción, infertilidad, debilidad general e impotencia. En la placenta encontramos una alta concentración de ácidos grasos esenciales, también de hormonas como progesterona y estrógeno. La placenta es la única carne que proviene de la vida y no de la muerte.
Jalea real y polen	Estos alimentos, provenientes de las abejas, contienen un rango amplio de nutrientes. En la abeja reina, la jalea promueve un fenomenal crecimiento, poder reproductivo y longevidad, en el hombre igualmente promueve la longevidad y la sexualidad. El polen contiene las mismas sustancias que la jalea real, pero en menores concentraciones.

COMIDAS TÓNICAS DEL *JING*	
Microalgas	• *Chlorella*, espirulina, algas azul verdosas.
Pasto de cereales	• Germinado de pasto de trigo, pasto de cebada y pasto de alfalfa. El secreto curativo de los germinados se encuentra en la cantidad de enzimas vivas que poseen. Cuando comemos un plato de granos y verduras con arroz, tan solo estamos consumiendo una fuente de combustible que nos aporta calorías, pero consumirlos crudos con enzimas vivas tiene la ventaja de regenerar y reconstruir tejidos vivos. De igual manera a un automóvil le añadimos gasolina como combustible, pero cambiarle repuestos a su motor y carrocería equivale a dar a nuestro cuerpo enzimas vivas. Las enzimas vivas tienen la capacidad de rejuvenecer y reparar a las células convalecientes y detienen el proceso de envejecimiento que a su vez acelera nuestra vida moderna. La vida ha de proceder de la vida misma. O es que acaso ¿si sembramos una pastilla de vitaminas va a germinar en una planta viva? Estas comidas son ricas en ácidos nucleicos –ARN, ADN–, lo cual protege al cuerpo de la degeneración. Los ácidos nucleicos revierten el envejecimiento celular. Muchas de estas comidas contienen ácidos grasos omega 3, los cuales se concentran donde se almacena la esencia-*Jing*. El omega 3 mantiene el sistema nervioso y limpia las arterias.

ENZIMAS MÁS IMPORTANTES DEL EXTRACTO DE GERMINADO DEL TRIGO Y SU FUNCIÓN EN EL CUERPO

- **Transhidrogenasa:** ayuda al músculo del corazón a mantenerse fuerte.
- **Proteasa:** ayuda a digerir las proteínas.
- **Lipasa:** corta la grasa.
- **Amilasa:** presente en la saliva, facilita la digestión del almidón.
- **Súper oxidismutasa:** combate el envejecimiento.
- **Catalasa:** cataliza la descomposición del peróxido de hidrógeno en agua y oxígeno.
- **Peroxidasa:** su función es similar a la de la catalasa.
- **Oxidasa:** antioxidante requerido para la respiración celular.

Es interesante notar que las tres últimas enzimas que aparecen en el cuadro se encuentran en alta concentración en las células rojas de la sangre, sin embargo, sus concentraciones se encuentran significativamente disminuidas en pacientes con cáncer.

CAPÍTULO TRES

Grasas del cerebro
y la psique

*The vaulted chambers, passage ways and labyrinths of the brain
so excited the admiration of the ancients that they were moved to
write thereon* cum copia verborum *in their efforts to establish
analogies between these parts and every portion of the universe.*

Manly Hall, 1901

BREVE HISTORIA DE LA EVOLUCIÓN
DEL CEREBRO HUMANO

Cuando los paleontólogos descubrieron el cráneo de un homíni-
do de hace dos millones de años en las costas del lago Turkana
en el este de Kenya, ayudaron a desentrañar uno de los grandes
misterios de la evolución del hombre, descubrieron el llamado
Homo habilis, considerado como precursor de la especie humana, el cual habitó alrededor de enormes lagos de agua fresca en
los valles del este de África.

Los paleontólogos nos indican que no fue solo una sino tres
las especies de homínidos que habitaron estas regiones; no obs-
tante, solo el *Homo habilis* continuó una línea evolutiva con importante desarrollo cerebral e inteligencia. La pregunta es: ¿qué
diferenció evolutivamente al *Homo habilis* de los otros homínidos? Al parecer, la evolución de la especie humana no fue solo
impulsada por el andar erguido o el notable uso del pulgar, también fue condicionada por la dieta de nuestros ancestros.

Análisis de la dentadura de estos homínidos nos revelan inte-re-
santes datos sobre nutrición paleolítica. En primer lugar estos ho-

mínidos podían coexistir porque tenían una dieta diferente, extraída de ecosistemas distintos, sin competencia por los alimentos. Los homínidos de dentadura larga obtenían su alimento de plantas fibrosas, los homínidos de dentadura pequeña de frutillas, roedores y huevos, y el *Homo habilis*, llamado así por sus habilidades demostradas en los artefactos de caza que dejó, consumía frutas y verduras, pero también pescado y algas de los lagos.

No sabemos si el *Homo habilis* se volvió hábil por comer pescado o si por ser hábil pudo pescar, pero lo más probable es que los dos factores simultánea y compatiblemente sean correctos.

Actualmente tenemos evidencia de que en remotas épocas de la historia las grasas omega 3 fueron abundantes en la dieta y además críticas para la evolución del cerebro. Por ejemplo, los animales silvestres tienen tres veces mayor concentración de grasas poliinsaturadas y siete veces mayor concentración de grasas omega 3 que la carne comercial moderna. Otro ejemplo es la verdolaga *(Portulaca olerosa)*, hoy conocida como una hierba mala que ha invadido muchos territorios del planeta, que nuestros ancestros tenían en mayor estima, pues la recolectaban regularmente desde tiempos prehistóricos a pesar de que no sabían (como muchos actualmente) que es una de las plantas verdes y carnosas con mayor concentración de grasas omega 3. Tanto el omega 3 como el omega 6 fueron abundantes en la prehistoria en las plantas silvestres. Los ácidos grasos EPA y DHA son elaborados por algas conocidas como fitoplancton, organismos unicelulares que flotan sobre lagos y habitan en el mar; los zooplancton consumen fitoplancton y los peces a su vez consumen zooplancton, siendo así que al alimentarse el hombre de pescado estaba ingiriendo las grasas esenciales. Podemos ahora inferir que la dieta paleolítica fue proevolutiva, y debido a que actualmente las grasas omega 3 son muy escasas en la canasta familiar, la dieta moderna sería antievolutiva, algo que corroboramos en la incidencia de modernas enfermedades degenerativas del cerebro como la depresión, el alzheimer y la hiperactividad infantil.

En el mundo de hoy los niños presentan problemas por deficiencias nutricionales. No hay escena más triste que la del rostro de un niño sin brillo, una piel lánguida y una apatía en la postura, o nada que nos altere tanto como un niño hiperactivo. Todos buscamos que los niños vayan sanos a la escuela y que su mirada brille con alegría e inteligencia.

En un reducido porcentaje de la población la desnutrición es consecuencia directa del hambre, en la mayoría es debida a una masa de conceptos equivocados. La verdad es que con muy pocos recursos se puede obtener una alimentación de primera calidad. Las preocupaciones nutricionales de los padres están en cosas como: las proteínas, el calcio y en menor medida los minerales y las vitaminas. Por lo tanto, hay una dependencia psicológica con las proteínas y el calcio y se ha creado un falso cinturón de seguridad que nos aferra a la leche y la carne.

Sin embargo, pocos padres sospechan que los niños están, por sobre todos los nutrientes, privados de grasas. Las grasas lideran en deficiencia nutricional en adultos y niños, pero si en el adulto esto trae todo tipo de complicaciones, en el niño estrangula de hambre al núcleo de su ser, su cerebro.

Durante años la ciencia consideró que el diseño de la estructura cerebral estaba condicionado por el código genético. Hoy en día se sabe que la estructura y el funcionamiento cerebral están determinados por el tipo de grasa que se consume. Ciertos experimentos demuestran que el tipo de grasa que se ingiere en la dieta crea cambios en la arquitectura cerebral, tanto en niños como en adultos. Este hecho se ha observado en estudios morfológicos del cerebro, con resonancia magnética, tras la suplementación de grasas cerebrales.

ARQUITECTURA DE LA GRASA CEREBRAL

Mientras que el sistema muscular y esquelético es rico en proteínas y minerales, el principal componente estructural del cerebro es la grasa. El peso en seco del cerebro adulto se conforma de 600 gramos de grasas por kilogramo, es decir que el órgano más complejo del organismo está compuesto en un 60% por grasa. La composición y elaboración de esta grasa no se hace en absoluto al azar, más bien es altamente especializada, cuidadosamente seleccionada, manufacturada y depositada en lugares estratégicos para el buen crecimiento y desarrollo del cerebro. Las células del cerebro son como albañiles, muy selectivos al escoger cada piedra de construcción de su templo nervioso.

La grasa conforma los circuitos de redes eléctricas del cerebro y crea las ramificaciones necesarias para todo su complejo alambrado. Es con la mielina, que es 75% grasa, que se crea una especie de cinta aislante que reviste los nervios, dándoles protección mientras va regulándose la transmisión del impulso eléctrico. Existen enfermedades en las cuales se degenera la mielina de las neuronas, siendo la más conocida la esclerosis múltiple. Hay estudios que indican que esta enfermedad está relacionada con desarreglos del metabolismo de los ácidos grasos esenciales.

Envoltura de grasa que reviste los nervios

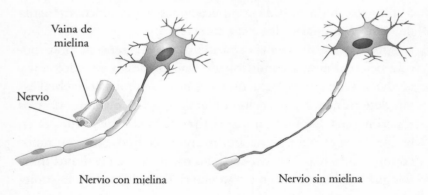

Vaina de mielina

Nervio

Nervio con mielina

Nervio sin mielina

El cerebro tiene demandas nutricionales muy altas de consumo de ciertas grasas. Estas deben consumirse en la dieta ya que el organismo no las puede sintetizar y la composición estructural de grasa del cerebro dependerá de la calidad de la grasa que se ingiera.

El cerebro tiene la propiedad de establecer nuevas conexiones conforme ocurren nuevas experiencias. Como un árbol que se va ramificando, se va determinando la capacidad del cerebro para integrarse en sus complejas funciones. Estos contactos entre neuronas se hacen por medio de sinapsis o enchufes de contacto.

Contrario a lo que se cree comúnmente, un mayor grado de inteligencia no está determinado por el número de neuronas sino por el número de sinapsis nerviosas. Aquí nuevamente los ácidos grasos juegan un rol crítico debido a que las membranas de las neuronas que se contactan en las sinapsis están formadas de altas concentraciones de ácidos grasos esenciales de cadena larga. Un ejemplo de estos ácidos es el ácido docohexanoico (DHA), presente en pescados grasosos.

El DHA es un ácido graso de veinte carbonos que pertenece a la familia de aceites que se forman a partir del ácido linolénico, también llamado omega 3. El cuerpo puede sintetizar DHA a partir de omega 3, por ejemplo de semillas oleaginosas, o lo puede consumir directamente de la dieta, principalmente a partir de pescados de agua fría, en los cuales existen altas concentraciones de estos aceites. Los peces obtienen estos aceites de algas y microalgas, que a su vez son una excelente fuente de los mismos.

Comparativamente, el DHA tiene mayores concentraciones en el cerebro que en cualquier otra parte del organismo. Si hubiese deficiencia de DHA en la sangre, las neuronas no se podrían conectar con eficiencia, tendríamos una atrofia de la neurona e inclusive la muerte de la célula. Las deficiencias de ácidos grasos esenciales, debido a su rol en el desarrollo cerebral, pueden ocasionar daños permanentes en el aprendizaje.

Los neurotransmisores no son grasas, por lo general son proteínas, aminoácidos especializados, pero dependen de las grasas para poder transmitir en el lugar preciso. Las grasas forman las redes de comunicación mientras que las proteínas son los agentes de comunicación.

Podemos concluir que de los diferentes aceites que incluimos en la dieta, existen los que contribuyen a formar membranas de alto rendimiento y los que entorpecen un rendimiento óptimo. Por lo tanto, la composición del cerebro dependerá de la composición de nuestro plato de comida. Nuestras neuronas serán ensambladas a partir de margarinas, pollo a la brasa y mayonesa, un cerebro de papas fritas o de los aceites cerebrales de primera calidad sobre los que estamos discutiendo.

Las células del cerebro son muy quisquillosas en lo que se refiere a la selección de las grasas que se utilizan para su construcción, pero si alteramos el balance de grasas en una dirección perjudicial, las neuronas no tendrán más remedio que acatar los deseos de nuestro estómago voraz e ignorante. Con melancolía y depresión las neuronas tendrán que resignarse a tomar las grasas empobrecidas o grasas tóxicas, como los ácidos grasos trans. Es triste que el cerebro tenga solo grasas de segunda calidad pero igualmente, como veremos, esto también es una causa de tristeza y depresión psicológica.

LOS ÁCIDOS GRASOS ESENCIALES MEJORAN EL COEFICIENTE INTELECTUAL

Un estudio reciente reportó que bebés de diez meses suplidos de DHA en su leche de fórmula, presentan una habilidad superior para resolver problemas, comparados con bebés que beben la leche de fórmula estándar. Al ser examinados a los diez meses, ambos grupos presentaban desarrollo físico normal y ambos grupos podían resolver problemas mentales sencillos. Sin embargo, confrontados con retos mentales más complejos, aquellos que tomaban DHA tuvieron mejores resultados y su ventaja fue estadísticamente significativa.[8]

Por otro lado, ciertos desventurados animales fueron sujetos a estudios científicos en los cuales el balance de grasas fue modificado en momentos críticos de su desarrollo para observar cambios en la estructura de sus cerebros. Al restringir su dieta de grasas esenciales, el tamaño de su cerebro fue reducido y esta reducción de tamaño ya no se pudo revertir. Cuando se continuó este régimen, a la tercera generación, el número de células cerebrales disminuyó considerablemente.

En cuanto al aprendizaje, se vio que los animales que consumían niveles insuficientes de omega 3 tenían niveles muy bajos de DHA y su aprendizaje se vio comprometido. Por ejemplo, en

---

8   P. Willatts. "Effect of long-chain polyunsaturated fatty acids in infant formula on problem solving at 10 months of age".

pruebas de aprendizaje, los animales con buenos aceites en su dieta resultaron 100% exitosos después de tres intentos; mientras que los animales carentes de aceites lo fueron 30 ó 40% luego de veinte intentos. Estos estudios apuntan a que el DHA es un ácido graso muy importante en la inteligencia y funcionamiento cerebral. El DHA es para el cerebro lo que el omega 3 es para el corazón.[9]

Actualmente, existen muchos estudios científicos sobre el rol de la grasa en el cerebro. Por ejemplo, en uno de ellos se ha visto que los niños que tomaron leche de pecho tienen un coeficiente intelectual más elevado que los niños alimentados con leche de fórmula. En otro estudio se comparó el coeficiente intelectual de bebés prematuros alimentados con leche materna con el de otros alimentados con fórmula a base de leche de vaca, cuando se les hizo exámenes de coeficiente intelectual a la edad de ocho años, los niños alimentados con leche materna en promedio tenían un puntaje mayor de 8,3.

La leche materna contiene ácidos grasos esenciales, pero la leche de fórmula recién los contiene a partir de 1997 y solo en algunas marcas exclusivas. Obviamente, no todo en la vida es bioquímica, otros factores que habría que considerar serían los lazos afectivos y la seguridad emocional que establece la madre al amamantar o al dar biberón.[10] Los beneficios de la lactancia materna son muchos, uno de ellos es que el bebé ejercita la vista al enfocar cuando mira al pecho y luego mira a la madre, otro beneficio es que hace menos traumática la separación física de la madre, aunque se ha cortado el cordón umbilical se mantiene aún un cordón de alimentación de la madre al niño. También, el contacto de la piel del bebé con la piel de la madre es terapéutico, consuela y conforta al recién nacido. En definitiva la leche materna no solo es el mejor alimento para el bebé, sino que también el proceso mismo de lactancia es un excelente estimulador del desarrollo de su inteligencia y seguridad emocional.

---

9 A. Yokota. "Relationship of polyunsaturated fatty acid composition and learning ability in rat".
10 M. Schmidt. *Smart Fats.*

La leche de vaca no hace nada por resolver los requerimientos de grasas del bebé, a diferencia de la leche materna. Si se opta por la leche de vaca, hay varios inconvenientes: la leche de vaca tiene un alto contenido proteico diseñado para crear un esqueleto de crecimiento rápido, pero un desarrollo cerebral más lento; el becerro cuadriplica en peso durante los primeros seis meses, el bebé solo duplica de peso. La leche materna tiene concentraciones altas de ácido linolénico (omega 3) y esto promueve un acelerado crecimiento y desarrollo del sistema nervioso.

Los bebés al ser destetados deben consumir ácidos grasos esenciales en alimentos como espirulina, linaza, verdolaga, semilla de calabaza, aceite de prímula, aceite de borraja, soya o germen de trigo. También deben considerarse aceites de pescado, como el aceite de hígado de bacalao. Asimismo, los bebés que nunca fueron amamantados tienen una especial necesidad de estas grasas, al igual que las madres lactantes y gestantes.

La composición grasa de la leche materna es reflejo de la grasa consumida por la madre. Por ejemplo, la leche de una madre en una dieta *low fat*, baja en grasa y rica en carbohidratos, puede tener 1% de omega 3. Las mujeres árabes de Jordania, con una dieta rica en aceites poliinsaturados, pueden tener hasta 15% de ácido linolénico, omega 3.

GRASAS PARA EL DESARROLLO FETAL

Recientemente se ha descubierto que las grasas omega 3 son necesarias para el completo desarrollo del cerebro durante el embarazo y los dos primeros años de vida. Estas grasas son tan importantes para el desarrollo infantil que si la madre embarazada o el niño presentan deficiencia, el sistema nervioso y el sistema inmunológico nunca se desarrollarán con plenitud, lo que puede ser causa de una vida llena de problemas emocionales inexplicables, problemas de aprendizaje y desórdenes inmunológicos. Hoy en día se sabe que en ninguna parte del organismo son tan elevadas las concentraciones de ácidos grasos de cadena larga como en la placenta. Esta tiene el poder de seleccionar los ácidos grasos esenciales de la sangre de la madre y almacenarlos para el uso del feto.

La deficiencia de grasas omega 3 durante el embarazo representa un doble golpe contra la salud: en primer lugar compromete la salud del cerebro del bebé, y posiblemente su salud general posterior, y en segundo lugar afecta la salud presente y futura de la madre, además de poner en peligro el embarazo mismo. Está bien documentado que existe un vínculo entre el agotamiento de las reservas de ácidos grasos esenciales durante el embarazo y la depresión postnatal, el peso bajo del bebé al nacer, el parto prematuro y la mortalidad infantil. Para agravar el problema, en las grandes ciudades aproximadamente un 60-70% de bebés de dos meses de edad son alimentados con biberón, lo mismo que un 75-80% de los bebés de cuatro meses. Las leches de fórmula son enriquecidas con calcio, fósforo, cobre, zinc, vitaminas, taurina, etc., pero se desdeñan los ácidos grasos. En países industrializados, ciertas leches de fórmula contienen EPA y DHA, sin embargo, obsérvese la diferencia con la leche materna.

Contenido proporcional de grasas de la leche materna frente a la leche de fórmula vendida en Estados Unidos[11]

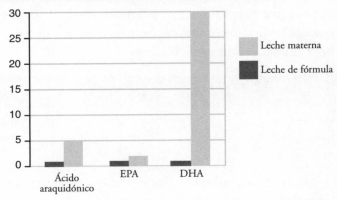

En el mercado latinoamericano el panorama es muy diferente y no es mucho más alentador, como se puede ver en el siguiente cuadro, resultado de investigar dieciséis leches de fórmula distintas.

---

11 B. Liebman. "Baby formula: missing key fats".

ANÁLISIS DE DIECISÉIS LECHES DE FÓRMULA VENDIDAS EN LATINOAMÉRICA
3   marcas no contienen ácidos grasos esenciales de ningún tipo
6   marcas no contienen omega 3
10 marcas no contienen AGL (ácido gamalinolénico)
0   marcas contiene las grasas EPA (ácido eicopentanoico)
2   marcas contienen trazas de DHA (ácido docohexanoico)

Es por las diferentes composiciones de ácidos grasos que se diferencian las leches en las especies; cada especie presenta requerimientos distintos de grasas. En animales de gran peso corporal y de pequeño peso cerebral, el contenido de grasas en la leche es menor. Un ejemplo extremo es el rinoceronte, cuya leche presenta niveles casi nulos de cuerpos grasos. En el ser humano encontramos la máxima concentración de grasas en la leche materna; otras especies con altos niveles son los mamíferos marinos. La leche de vaca, por ejemplo, no contiene grasas cerebrales y el ternero por tanto tiene un desarrollo cerebral menor. En la siguiente tabla comparamos el peso cerebral de un ternero y de un bebé humano, ambos de dos años:

	PESO CORPORAL	PESO CEREBRAL	PORCENTAJE TOTAL
Ternero	200 kg	0,35 kg	0,175%
Bebé humano	12 kg	1,20 kg	10%

Hasta donde sabemos, las grasas presentes en las leches de fórmula provienen de aceites procesados comercialmente, donde se hallan también los ácidos grasos trans.

Es importante que en cada embarazo se eviten las grasas refinadas e hidrogenadas por tratarse de un periodo crítico. Mientras mayor es el consumo de grasas saturadas, menor es la concentración de grasas insaturadas en la leche materna. Paralelamente, una deficiencia de omega 3 y omega 6 en la dieta causa una insuficiente producción de leche en la madre lactante. Se ha encontrado que el aceite de linaza tiene un efecto galactógeno, substancialmente aumenta la producción de leche y también resuelve el congestionamiento de mama. Otra manera de incrementar la leche es por el "método canguro", un contacto lo más constante posible entre la piel de la madre y la piel del bebé.

En conclusión, las mujeres embarazadas y lactantes deben consumir grasas de pescado y ciertas semillas oleaginosas para favorecer al desarrollo cerebral del feto, el desarrollo de los ojos y órganos genitales, siendo esto particularmente importante para los bebés nacidos prematuramente.

LA HIPERACTIVIDAD EN LOS NIÑOS

La perpetua turbulencia de los niños hiperactivos es motivo de innecesarias pesadillas para muchos padres. Estos niños son llevados a neurólogos especialistas en entender el complejísimo sistema nervioso de los niños. Lamentablemente ellos no advierten cosas más sencillas como la alimentación que sustenta al cerebro, generalmente el neurólogo no interroga sobre hábitos alimenticios. La mitad del problema de la hiperactividad infantil puede ser controlada con tan solo eliminar dos factores: la televisión y las golosinas o cualquier comida chatarra, la otra mitad se cura con grasas cerebrales.

Es un hecho verificable que la mayoría de los niños hiperactivos y con déficit de atención dedica demasiadas horas a la televisión o a juegos de computadora. Sobre estas pantallas se disparan millones de estímulos por segundo que capta la retina y producen un efecto similar sobre la corteza cerebral, sin mencionar el alto contenido de violencia o el bajo contenido educativo que involucran. En el ámbito rural no existen niños que sufran estas condiciones y tampoco están expuestos a las variables mencionadas.

Adicionalmente, hay una deficiencia dietética y metabólica que está centralizada en los ácidos grasos esenciales. La hiperactividad infantil es tres veces mayor en los varones que en las mujeres y se sabe que los varones necesitan aproximadamente tres veces mayor cantidad de ácidos grasos que las hembras. Los estudios hechos por el doctor Ben Feingold[12] han señalado que hay un grupo de alimentos y aditivos alimentarios que actúan bloqueando la síntesis de ácidos grasos en los niños; los más resaltantes son: el colorante de tartracina, el colorante rojo de Ponceau y los opioides del trigo y de la leche. El gluten de trigo y la alfa caseína de la leche pueden dar lugar a opioides en el intestino llamados exosfinas que obstruyen la síntesis de los ácidos grasos.

Los niños con problemas de atención, agresividad y violencia, igualmente, tienen niveles muy bajos de DHA. Así mismo, se han reportado casos en donde los problemas de aprendizaje, comportamiento, hiperactividad, autismo, convulsiones, tremores y calambres son mejorados o corregidos totalmente con suplementos de aceites.

Se han realizado varios estudios comparativos entre niños con déficit de atención o hiperactividad y grupos de niños normales.[13] Siempre se han encontrado niveles muy bajos de omega 3 en el primer grupo y hay una correspondencia entre el grado de deficiencia y la severidad de la condición. Los niños hiperactivos padecen una incrementada sed, eczema, orina frecuente, asma, alergia y dolores de cabeza. Todos estos síntomas nos refieren a una desnutrición que se centraliza en la deficiencia de omega 3.

LAS GRASAS TÓXICAS: ÁCIDOS GRASOS TRANS

Diversos investigadores concuerdan en que el DHA es la grasa crítica en el desarrollo y funcionamiento del cerebro y que da

---

12 B. F. Feinhold. *Why Your Child is Hyperactive.*
13 E. A. Mitchel, M.G. Aman, S.H. Turbot y M. Manku. "Clinical characteristics and serum essential fatty acid levels in hyperactive children".

cualidades especiales a las células nerviosas, como flexibilidad y fluidez.[14] El DHA, debido a sus seis enlaces dobles, tiene propiedades eléctricas vitales para las membranas celulares pero, por la misma razón, es un aceite muy susceptible a oxidarse.

Como se sabe, el DHA proviene de la síntesis de los aceites omega 3 o alfalinolénico. Estos aceites son muy escasos en la dieta promedio, no suelen figurar en la canasta familiar, no se encuentran en muchos alimentos y hay que hacer un esfuerzo especial para proveerlos en la dieta. Más aún, su síntesis también se ve interrumpida o bloqueada por la presencia de aceites hidrogenados, ácidos grasos trans, llamados así por la transconfiguración de la cadena molecular, además del alcohol y el cigarro.

La presencia de ácidos grasos trans se debe principalmente al proceso de desodorización en el refinamiento de aceites y a la hidrogenación de los mismos, como en el caso de las margarinas. Para retirar los malos sabores y olores del aceite comercial se realiza la desodorización, a una temperatura de 240° a 270° C, y sabemos que más allá de los 220° C la producción de ácidos grasos trans aumenta exponencialmente.

Experimentando con animales, el doctor Dopenshwarkar demostró que los ácidos grasos trans traspasan la barrera de la placenta y terminan formando parte de casi todas las células del bebé, incluidas las del cerebro. Otro escalofriante hallazgo es que los ácidos grasos trans, cuando son llevados a las membranas celulares neuronales, son insertados en lugares donde normalmente se encuentra el DHA o ácido docosahexanoico, o sea que interfieren en lugares críticos del sistema nervioso. También se encuentran como parte de la mielina que reviste los nervios.[15]

Para empeorar las cosas, cuando existe consumo de ácidos grasos trans y carencia de omega 3, la absorción de ácidos grasos trans se duplica. El ácido graso trans bloquea las enzimas necesarias para producir DHA. La fisiología de los animales es seme-

---

14 J. R. Burgess. "Essential fatty acid metabolism in boys with attention deficit-hyperactivity disorder".

15 G. A. Dopenshwarkar. *Nutrition and Brain Development.*

jante a la de los humanos, no tenemos por qué suponer que esta situación no sería viable en el ser humano.

El ácido graso trans tiene un ancho de 3,2 ámstrong, mientras que el mismo ácido graso en su estado natural, llamado cis, tiene un ancho de 11,3 ámstrong. La forma y el tamaño de la molécula son los que otorgan importantes cualidades que son necesarias para cumplir sus funciones. Con este ejemplo vemos cómo un cambio en el tamaño y forma de la molécula afecta de manera considerable el desempeño de sus funciones.

En Canadá, un grupo de médicos tomó interés en estudiar el contenido de los ácidos grasos trans en la leche materna. Se hizo un estudio con 198 madres lactantes. El resultado no fue muy inspirador: de la grasa total de la leche materna un 20% fue ácido graso trans. Vale la pregunta, ¿de dónde viene esta grasa anormal? Seguramente de la dieta, porque hasta ahora nadie ha reportado un pecho que caliente su leche a 270° C.[16]

¿Y cuán expuestos estamos a estos aceites tóxicos? La doctora Enig estudió algunos alimentos.[17]

CONTENIDO DE ÁCIDOS GRASOS TRANS	
1 bolsita de papas fritas	4,6 g
1 porción de papas fritas	8,2 g
1 porción de pescado arrebozado	8,0 g
1 *donut*	13,0 g

Aproximadamente el 25% de la grasa total que consumimos diariamente, unos 38 g, es ácido graso trans, producto de la industria de aceites. Las fuentes principales son las tortas, mayonesas, chizitos (chitos), vinagretas con aceite vegetal, galletas, pasteles, frituras. Léanse los ingredientes de los alimentos y por todas partes vemos las palabras: aceite vegetal, aceite hidrogenado o parcialmente hidrogenado.

Las buenas noticias son que podemos ejercer control sobre lo que entra en la boca como alimento (así como podemos hacerlo

---

16 Z. Chen y otros. "Trans fatty acid isomers in Canadian human milk".
17 M.G. Enig y otros. "Isomeric trans fatty acids in the U.S. diet".

sobre lo que sale de la boca en la forma de palabra). Tenemos el potencial de cambiar el curso de eventos, tomando ventaja del hecho de que la estructura cerebral puede transformarse si se modifica nuestro equilibrio y calidad de consumo de alimentos. Así, se podrá establecer un entorno donde el cerebro o mente se libere de sus actuales limitaciones y condicionamientos y tenga nuevas posibilidades de bienestar tanto intelectual como emocional. Esta es una interesante área de estudio: cómo beneficiar al órgano que es el núcleo de nuestro ser y cómo transformarlo con nuestra dieta.

GRASAS DEL ENTUSIASMO Y GRASAS DE LA MELANCOLÍA

Entusiasmo es una de las palabras y cualidades humanas más hermosas que existen. Proviene de la palabra griega *entheos*, que significa "estar inspirado por la divinidad". Por lo tanto, el sentido original de esta palabra debe leerse como: inspiración de Dios en el interior.

La teoría que nos presenta la medicina moderna es que esta combustión sísmica tan alegre y fascinante la podemos obtener con la grasa, con la gracia de Dios, pero también con la grasa de Dios.

Un conjunto de investigaciones recientes nos indica que las grasas omega 3 son útiles en el tratamiento del síndrome bipolar o la llamada psicosis maníaco-depresiva, también en la depresión, la hiperactividad infantil, el estrés, inclusive la esquizofrenia y el autismo, en otras palabras en todo el espectro de las enfermedades psiquiátricas.

En el futuro la medicina tomará un particular interés en la neurociencia nutricional. Consideramos que sería un avance importante pasar de la neurociencia alopática, que culmina en productos sintéticos como Prozac, a una neurociencia nutricional que medica alimentos como la linaza. Los doctores Joseph Hibbeln y N. Salem nos dicen:

Postulamos que los ácidos grasos poliinsaturados de cadena larga, en particular el DHA, pueden reducir la incidencia de la depresión de la misma manera en que los ácidos grasos poliinsaturados omega 3 pueden reducir enfermedades cardiovasculares.[18]

Un grupo de médicos en Australia realizó estudios de sangre de pacientes con depresión severa y moderada;[19] el hallazgo resaltante fue que los niveles de ácidos grasos omega 3 siempre fueron muy bajos.

Un equipo de psiquiatras se propuso hacer un estudio epidemiológico de la incidencia de depresión en Japón y Taiwán, un hallazgo interesante fue que no se encontraron casos de depresión moderada o severa en aldeas de la costa. La explicación la encontramos en el mayor consumo de pescado en estas regiones. Existe una creciente sospecha de que la depresión puede deberse, entre otras cosas, a la carencia de estas grasas en la dieta.[20]

Algunos investigadores han observado que un incremento de grasas omega 3 en la dieta está asociado a un incremento del neurotransmisor *dopamina* en el lóbulo frontal del cerebro de las ratas y su carencia se relaciona con una disminución de los receptores de dopamina. En el hombre, un incremento de la dopamina está ligado a la motivación, la inspiración y la fuerza de voluntad, de las que carecen las personas con depresión.

La depresión y los estados anímicos de ansiedad, irritabilidad y violencia son condiciones que quizá necesiten de ácidos grasos esenciales. Los griegos antiguos consideraban la melancolía como una condición del hígado y del metabolismo de las grasas. Melancolía viene de *melanos* = "negro", "oscuro" y *khole* = "bilis", "hiel". Por lo tanto, la melancolía es un exceso de bilis negra, así como también una cualidad oscura de la bilis.

Como se sabe, la bilis está en la vesícula biliar, situada dentro del hígado. Antiguamente se decía que el exceso de bilis amari-

---

18 J.R. Hibben y N. Salem. "Dietary polyunsaturated fatty acids and depression: when cholesterol does not satisfy".

19 P. Adams. "Arachidonic acid to eicopentanoic acid ratio in blood correlates positively with clinical symptoms of depression".

20 Idem.

lla ocasionaba la cólera, mientras que el exceso de bilis negra resultaba en depresión melancólica. Lo interesante es que entre las funciones de la vesícula está la de emulsificar las grasas y recolectar el colesterol LDL, o de baja densidad. Junto con el hígado, son los encargados de metabolizar grasas. Posiblemente una bilis negra haga referencia a un desorden en el metabolismo de las grasas.

Una receta antigua para la depresión

Volviendo atrás en la historia, encontramos un libro curioso, publicado en 1652, que se titula *Anatomía de la melancolía*, escrito por un alquimista inglés llamado R. Burton. La parte interesante de esta historia es que para la depresión recomienda una dieta baja en grasas, aceite de borraja y pescado. Para casos severos de depresión recomienda consumir sesos de res.[21]

Una grasa muy difícil de encontrar en la naturaleza es el ácido gamalinolénico, que proviene de la síntesis del omega 6 y solo se le encuentra en el aceite de prímula y de borraja y en la leche materna. Luego, los sesos de res son ricos en DHA, y quizá muchas otras grasas importantes. El autor, como vemos, era un maestro de la bioquímica y la neurociencia.

 ## CONSEJOS SALUDABLES PARA OBTENER GRASAS CEREBRALES

Aceites de pescado

Consumir pescado de carne roja, pescados de agua fría y profunda como caballa, jurel, bonito, sardinas, cojinova, salmón, trucha y atún (el atún debe ser fresco, si es de lata debe ser en salmuera, nunca remojado en aceites refinados).

---

21 R. Burton. *The Anatomy of Melancholy. The Classics of Psychiatry and Behavioral Sciences Library.*

Dosis diaria de aceite de hígado de bacalao	
Bebés	8 gotas vía oral o en líquidos. 12 gotas para niños prematuros, bebés no lactantes, bebés con baja inmunidad.
Mujeres embarazadas y lactantes	1–2 cucharadas diarias.
Niños	Depende del peso del niño.

Semillas de sacha inchi

El sacha inchi es una euforbiácea de la selva peruana muy rica en grasas omega 3. Especialmente rica en antioxidantes, se puede consumir su aceite prensado en frío extravirgen en ensaladas, sobre los alimentos o consumir directamente las semillas tostadas.

Dosis diaria recomendada de sacha inchi	
Adultos	2 cucharadas
Niños	1 cucharada

Semillas de linaza

Definitivamente es una rica fuente de ácidos grasos esenciales y debe consumirse entera y cruda. Tres cucharadas de semilla equivalen a una cucharada de aceite.

Dosis diaria recomendada de linaza	
Adultos	2 cucharadas de aceite
Niños	1 cucharada de aceite

Pulverizar en picadora o molino de café y agregar sobre alimentos. También se puede licuar con jugo de fruta. Se puede poner la linaza en potaje de avena o sobre alimentos como si fuese queso parmesano, por ejemplo, sobre pastas, ensaladas, arroz, guisos, etc.

❧ Papilla de linaza ❧

1   cucharada de miel de abeja
1   cucharada de aceite de linaza prensado en frío
3   cucharadas de linaza
1   cucharada de ajonjolí negro
1   cucharada de ajonjolí blanco
3   cucharadas de avena cruda (para cuidar el peso y en casos de estreñimiento utilizar salvado de avena)
1   cucharada de trigo germinado
1 ó 1/2 manzana rallada

Opcional
1   cucharada de lecitina de soya granulada (opcional especialmente en casos de colesterol alto)
2-4   tabletas de levadura de cerveza
Frutos secos: higos secos, pasas pecanas, almendras, semillas de girasol
Frutas frescas: plátano, papaya, pera, mango, fresas, etc.

Mezclar la miel con el aceite, en el fondo de un plato hondo, hasta que se forme una masa uniforme. Pulverizar en seco la linaza y el ajonjolí en un molino de café o licuadora. Añadir la avena cruda (en invierno, si lo prefiere, la avena se puede consumir cocinada, y agregar después la linaza y el ajonjolí). Agregar agua hasta lograr una consistencia de papilla. Rallar una manzana y agregar frutos secos y fruta fresca al gusto.

ক৹৹

❧ Leche vegetal de linaza y piña ❧

a) 3   cucharadas de linaza
    1   cucharada de ajonjolí o 1 pecana

Hacer un litro de jugo de piña, añadir linaza y ajonjolí y licuar juntos.

ক৹৹

b) $1/4$ taza de leche de almendra o leche de soya
$1/2$ taza de jugo de piña
1   plátano pelado
1   taza de piña fresca en cuadrados
1   cucharada de linaza fresca pulverizada
1   cucharada de germen de trigo

Licuar todos los ingredientes y beber.

ᘓᖆᓴ

ᘓᖆ Panecillos de linaza ᘓᖆ

$1/2$ cucharada de azúcar
1   cucharada de levadura
$1/4$ de taza de linaza entera
1   taza de harina integral
2   cucharadas de aceite de oliva
2   cucharadas de yogurt natural
$1\,1/2$ cucharaditas de sal marina
Ajonjolí para esparcir por encima

En una vasija grande poner agua tibia con azúcar. Añadir la levadura y dejar reposar 10 a 15 minutos hasta que la mezcla esté espumosa. Moler la linaza en seco, con molino de café o procesadora de alimentos (el trigo también es preferible molerlo en casa). Con una cuchara de palo gradualmente incorporar la harina y la linaza dentro de la mezcla de levadura; añadir la sal, el aceite y el yogurt. Voltear la masa sobre una superficie con harina para amasar, seguir amasando hasta que no se pegue (5 a 10 minutos). Poner la masa en forma de panecillos planos sobre una lámina metálica de horno ligeramente aceitada y dejarla reposar hasta que duplique su tamaño, 1 a 2 horas. Poner al horno precalentado a temperatura de 350° C por media hora.

ᘓᖆᓴ

❧ *Waffles* de linaza y miel con plátano acaramelado ❧

3 cucharadas de linaza
1 1/4 tazas de harina de trigo
1/2 taza de harina de soya
2 cucharaditas de polvo de hornear
1/2 cucharadita de bicarbonato de sodio
1 1/2 tazas de yogurt vivo o de soya
2/3 de taza de leche de soya
1/4 taza de miel de abeja
1 cucharada de aceite de oliva
1 yema y 2 claras de huevo
2 cucharadas de azúcar
4 plátanos maduros (bananas)
1 cucharada de jugo de limón

En una vasija grande verter la linaza pulverizada junto con la harina, el polvo de hornear, el bicarbonato, la harina de soya y la sal. En una vasija mediana mezclar el yogurt, la leche de soya, la miel, el aceite y la yema de huevo. Unir los ingredientes líquidos con los secos. Batir las claras de huevo hasta formar espuma y unir con la masa. Verter la masa sobre la plancha caliente de la wafflera, ligeramente aceitada con mantequilla. Cocinar hasta que los waffles estén dorados (unos 3 ó 4 min). Mientras se cocinan los waffles, cortar los plátanos en cubitos de media pulgada por lado, añadir azúcar y jugo de limón, cocinarlos en una olla moviéndolos ocasionalmente hasta que estén bien calientes pero aún firmes. Cubrir los waffles con un baño de cubitos de plátano al servir.

❧ Mayonesa de aceite de sacha inchi ❧

1 ó 2 dientes de ajo
1 cucharada de leche de soya
1 cucharada de aceite de oliva
Jugo de 1 limón

Sal marina al gusto
Aceite de sacha inchi, suficiente para dar consistencia a la
mayonesa

Hechar en la licuadora la leche de soya, el ajo y la sal.
Prender y añadir poco a poco el aceite de oliva y seguidamente
el aceite de sacha inchi hasta obtener la consistencia deseada.
Añadir el limón y mezclar con una cuchara.

$\backsim$

❧ Hamburguesa de buenas grasas ☙

400 g de tofu (queso de soya)
2	cucharadas de avena fina
1	cucharada de harina de trigo integral
2	cucharaditas de aceite de sacha inchi
1	huevo batido
3	cucharadas de harina de avena
1	cebolla rallada
2	dientes de ajo

Mezclar bien todo (pasar por el moledor o el multiprocesador).
Si usted no tiene el molde de hamburguesa ponga la masa de
hamburguesa entre dos plásticos sobre la tabla de picar y achate
con una tapa del tamaño adecuado (la cantidad de masa depen-
de del tamaño que desee para sus hamburguesas). Asar en hor-
no caliente o en la sartén dorar los dos lados.

$\backsim$

CAPÍTULO CUATRO

Síndrome de grasa caliente en el hígado

To seek to extinguish anger utterly, is but bravery of the Stoics.
We have better oracles: be angry, but sin not.
Let not the sun go down upon your anger.
Francis Bacon, *The Essays* (1601)

Tomar plena conciencia de los factores que nos agobian es un paso decisivo hacia la liberación; adicionalmente, transformar el ámbito fisiológico de nuestras entrañas es también una puñalada profunda a la ignorancia. La cirugía sin bisturí retira del hígado, por ejemplo, el humus grasoso que ahí se deposita, quitándonos un terreno de cultivo para dudosas emociones, como si fuera un almácigo para brotes de una ira monstruosa o de tenues, aunque persistentes, frustraciones.

Los racionalistas arguyen que es posible atenuar el dolor del hombre con la luz de la razón, como si la materia visceral no tuviese suficiente gravedad para ser una variable o, menos aún, jugar un rol protagónico. La plenitud de conciencia es un gran paso para salir de la oscuridad, pero también arrastramos una información orgánica y celular que no siempre colabora. La psicología en el futuro deberá ser más visceral. Sin un sólido equilibrio entre el estudio de la carne y el ánima, la psicología se pierde (o abisma) en los incorpóreos enigmas de la filosofía y flotantes arquetipos platónicos.

Como una polilla que gira alrededor de la llama, el hombre, ciego a las fuerzas que se agitan en sus órganos, subliminalmente es hipnotizado o tal vez poseído por el fuego de su hígado. Es interesante observar que ciertas personas, siendo dueñas de grandes poderes de razonamiento, con largas credenciales académicas, son títeres ante las pulsiones de su hígado; o, al contrario, hay un antagonismo interno entre sus impulsos y razones, que, como es natural, lo aturde.

Los anatomistas, debido a su aislado y fragmentado campo de estudio, comentarán que esta es una extravagante hipótesis. Pero con la ayuda de una visión más telescópica y sistémica del cuerpo, la medicina holística cala hondo en los misterios de la salud, desentraña y esclarece la psicología de las entrañas. Los síntomas observados, aunque tienen como eje de acción el hígado, inicialmente no son nada visibles en este órgano y se manifiestan a la distancia. Por ejemplo, en el "migrañoso" palpitar de las sienes o en el turbio color de la uña del dedo gordo del pie, una saburra amarilla en la lengua, o un pulso resbaladizo, entre otros. Mientras tanto, el órgano como tal aún sigue ileso e inalterado. Síntomas como estos describen el síndrome que pasamos a discutir en detalle.

SÍNDROME DE GRASA CALIENTE EN EL HÍGADO

El hígado graso es un síndrome que vive oculto y de forma subterránea en un extenso porcentaje de la población. Es responsable de gran parte del deterioro de la salud pero pasa inadvertido al médico ortodoxo y al mismo paciente, a quien le es difícil puntualizar y definir su malestar. Algunas características comunes son: una generalizada sensación de embotamiento, mal sabor en la boca, saburra amarilla en los bordes de la lengua, una uña malformada, gruesa y de color opaco en el dedo gordo del pie, sinusitis, líneas verticales en el entrecejo, voz alta, orina escasa y oscura y dolor en el hipocondrio. Son un conjunto de síntomas relevantes y su comprensión forma parte de la agudeza y sensibilidad del médico. La medicina china puede detectar esta condición del hígado aun cuando todos los perfiles hepáticos (transaminasas, fosfatasa alcalina, bilirrubina), las ecografías y el tamaño del órgano se muestren dentro de los rangos normales.

Uno de los rasgos característicos es un pulso que se denomina *Hua Mai*, o pulso resbaladizo y rodante. Esta pulsación sube y baja con suavidad, creando en los dedos la sensación de perlas rodantes, cubiertas de un fluido graso. Es común encontrarlo en la posición distal y media del pulso radial de la mano izquierda. La presencia de calor es reflejada por la rapidez del pulso. Otro rasgo típico, ya mencionado, es la presencia de una saburra amarilla grasosa en la lengua.

Síntomas característicos del síndrome

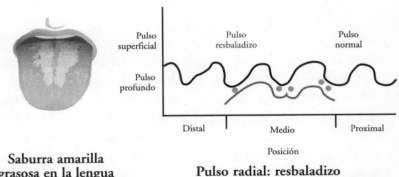

Saburra amarilla
grasosa en la lengua

Pulso radial: resbaladizo

Estos síntomas, tanto el pulso como la saburra, son los que en la experiencia clínica definen más categóricamente este síndrome.

Los síntomas que se presentan cuando la condición ha recrudecido se perciben después, cuando los métodos modernos posiblemente ya pueden diagnosticar hígado graso, barro biliar, cálculos biliares o hipercolesterolemia en la sangre. Pero todo esto es consecuencia de una condición que se ha cimentado por un periodo largo de tiempo, de manera oculta y furtiva.

SÍNTOMAS DE GRASA CALIENTE EN EL HÍGADO

- Plenitud en hipocondrio y pecho
- Ictericia
- Gastritis
- Sabor amargo en la boca
- Reflujo biliar
- Pérdida de apetito
- Embotamiento, distensión abdominal
- Náusea, vómitos
- Prostatitis
- Orquitis, dolor e inflamación en el escroto
- Leucorrea o flujo vaginal
- Nivel alto de colesterol
- Obesidad
- Intolerancia a las grasas
- Mareos

Este síndrome es consecuencia de una combinación de calor en el hígado y de una flema que se crea como consecuencia de la debilidad del bazo. El dolor y la distensión en el hipocondrio (debajo de las costillas) son producidos por la acumulación de flema y el estancamiento de la energía del hígado. Esto crea una situación en la que el hígado invade el estómago, produciendo náuseas, vómitos, pérdida de apetito y embotamiento. La flema tiene la tendencia a descender y ubicarse en el bajo calentador (zona anatómica comprendida entre el ombligo y los genitales), ocasionando la leucorrea en la mujer y la inflamación del escroto en el hombre.

Otra expresión de este cuadro es la hipertrofia prostática benigna en el hombre, que suele ocurrir cuando hay un excesivo consumo de alcohol, carne, grasas, frituras y azúcares. Por ello, la medicina china considera la prostatitis como parte del conjunto de eventos relacionados a la flema caliente del hígado.

Lo lamentable es que la mayoría de las personas llevan este síndrome latente y pueden vivir "normalmente", inconscientes del daño que esta condición les ocasiona, hasta que llega el momento en que se excede el umbral de tolerancia del cuerpo y la cirugía es inminente.

En medicina occidental lo más cercano al síndrome descrito es la llamada esteatosis hepática (hígado graso) y se designa con este nombre a la acumulación de grasa histológicamente visible en los hepatocitos o células del hígado. Casi toda esta grasa está conformada por triglicéridos que sintetizan las células a partir ácidos grasos provenientes del tejido adiposo y del intestino.[22] Aunque son similares en su etiología y muchos de sus síntomas, la medicina china no se limita a la estructura celular del hígado para diagnosticar este síndrome.

Esta condición se debe claramente al mal metabolismo de las grasas, como consecuencia de una incorrecta ingesta de grasas o aceites. La ignorancia sobre los aceites y las grasas está muy difundida, baste decir que la mayoría de las personas consumen margarina en vez de mantequilla porque los medios de publicidad nos han hecho creer que es mejor. Estas mentiras circulan sin que nadie las contraríe.

El alcohol, el cigarrillo y las drogas reciben una virulenta crítica desde todos los sectores de la sociedad y organismos de salud. Pero ellos inciden sobre un porcentaje relativamente menor de la sociedad, comparados con el efecto casi omnipotente y universal que ejercen en la dieta los azúcares y harinas refinadas, las grasas saturadas y las carnes de animales domésticos. Entre los factores responsables de la flema caliente en el hígado, tenemos que incluir tres grandes grupos que pasamos a analizar detenidamente.

AZÚCARES Y HARINAS REFINADAS

Debe recordarse que el uso del azúcar es muy reciente. En el siguiente cuadro podemos ver que su consumo se ha incrementado de manera dramática en menos de dos siglos.

---

22 R.G. Lee. "Fatty changes and steatohepatitis".

Consumo de azúcar en los siglos XIX y XX

Año	Consumo anual per cápita
1815	6,8 kg
1910	40,8 kg
1980	54,0 kg
2000	61,0 kg

Esto quiere decir que nuestro consumo de azúcar ha aumentado en un 897%, paralelamente nuestra ingesta de colesterol se ha mantenido constante.

El azúcar y la grasa son parientes íntimos, tan cercana es su relación que casi siempre los cristales de azúcar refinada se convierten en tejido graso en el organismo y los almidones también se convierten en grasa saturada.

Si se prolonga el consumo de azúcares refinadas, los altos niveles de azúcar en la sangre harán que se libere del páncreas insulina, que es la que conduce la glucosa dentro de las células, y se dirija hacia las plantas de energía llamadas mitocondrias. El exceso de glucosa inicia la producción de ácidos grasos en la forma de triglicéridos.

¿Pero cómo se transforma el azúcar en grasa? La molécula de glucosa de seis carbonos se descompone creando dos moléculas de acetato de tres carbonos (vinagre). El acetato es la materia prima del colesterol. Si se producen más acetatos de los que se consumen, estos presionan a las enzimas para que se enlacen entre ellos formando triglicéridos, colesterol y grasa saturada, de esta manera evitan la acumulación de acetatos, que resultaría peligrosa para la salud. En pocas palabras, es menos peligroso almacenar grasa que vinagre. Sin embargo, la grasa se deposita en las arterias, células del hígado y el corazón, creando las condiciones para un hígado graso, arteriosclerosis, tumores y obesidad. Para la medicina china, el eje de acción central de estos males puede ser el síndrome conocido como "flema caliente en el hígado".

Un problema adicional es que el cuerpo puede convertir el exceso de glucosa en grasa, pero no lo puede regresar a su estado original de glucosa. Para que la grasa sea eliminada, tendrá que ser quemada por medio de actividad y ejercicio.

En la lista de las harinas refinadas tenemos la harina blanca de trigo, el arroz blanco, la pasta, el almidón de maíz, cereales de desayuno, galletas, tortas y panes. Todas ellas tienen más tendencia a convertirse en grasa que los carbohidratos complejos que encontramos en granos integrales, cuya fibra, minerales y vitaminas hacen que se digieran de manera distinta y sean quemados plenamente para producir energía. En los carbohidratos complejos (maíz, yuca, etc.) encontramos la fibra y las vitaminas y minerales que se necesitan para ser transformados mediante una combustión limpia en dióxido de carbono, agua y energía.

OTROS PROBLEMAS DE AZÚCARES Y HARINAS REFINADAS

- Los ácidos grasos saturados resultantes de la conversión de azúcar en grasa disminuyen el suministro de oxígeno a los tejidos (hipoxia), haciendo que los glóbulos rojos se interadhieran y pierdan movilidad.
- El azúcar inhibe las funciones inmunológicas, aumentando la incidencia de enfermedades causadas por inmunodeficiencia.
- El azúcar aumenta la producción de adrenalina, hasta cuatro veces más que su nivel normal. Así, se pone al cuerpo en un estado de estrés y ansiedad continua, lo que amplía la segregación de cortisona y colesterol.
- Las harinas refinadas y los azúcares carecen de vitaminas y minerales necesarios para su propio metabolismo, por lo que estos deberán extraerse de las reservas del propio cuerpo. Esta erosión hace que se agoten nuestras reservas de vitaminas y minerales, haciendo más difícil la conversión de carbohidratos en energía, lo que baja nuestro ritmo metabólico, aumentando la fatiga y la obesidad.
- El azúcar acidifica la sangre y da lugar a todo tipo de infecciones que prosperan en ese medio. Así mismo, la acidosis de la sangre contribuye a la desmineralización de huesos y tejidos nobles y favorece enfermedades como la osteoporosis.
- Los niveles altos de azúcar inhiben la liberación de ácido graso linoleico, AL (O6), de sus almacenes de los tejidos grasos, contribuyendo al déficit de AGE.

GRASAS SATURADAS

Las grasas saturadas son aquellas cuyas cadenas moleculares tienen una máxima cantidad de hidrógeno en sus enlaces de carbono. Esto hace que la grasa sea estable y no sujeta a alteraciones debido a la luz, el oxígeno o el calor. Son además lentas en su reacción con otros químicos.

La grasa gusta disolverse en grasa y rechaza el agua, de modo que las moléculas de grasas saturadas tienden a agregarse unas con otras. Mientras más larga es la cadena molecular, mayor es la fuerza de cohesión. Estos agregados de grasas se tornan duros, inflexibles y tienen mayor resistencia al calor.

Las grasas saturadas de cadenas cortas (cuatro a dieciséis carbonos) las encontramos en la leche y mantequilla, pero también en el aceite de coco y palma. Las grasas de cadenas largas (dieciocho a veinticuatro carbonos) se hallan en las carnes animales.

YIN GRASAS SATURADAS PREDOMINAN EN ANIMALES	*YANG* GRASAS INSATURADAS PREDOMINAN EN VEGETALES
• Tienden a cohesionarse	• Tienden a dispersarse
• Endurecen los tejidos blandos	• Flexibilizan los tejidos blandos
• Insolubles en agua	• Solubles en agua
• No son ácidos grasos esenciales	• Son ácidos grasos esenciales
• Disminuyen el ritmo metabólico	• Aumentan el ritmo metabólico
• Intervienen en producción de prostaglandinas	• Son precursores de prostaglandinas
• Sustancias polares	• Sustancias no polares
• Se atraen entre sí	• Se repelen entre sí
• Duras a temperatura ambiente	• Líquidas a temperatura ambiente

La tendencia a unirse de las grasas de cadena larga presenta un gran problema a la salud: se crean plaquetas que se adhieren fácilmente, formando coágulos y ocasionando trombosis que obstruyen las arterias. El consumo de grasas saturadas hace estragos en las poblaciones con dietas ricas en carne bovina o porcina y en productos lácteos.

CARNES

El aumento de las enfermedades cardiovasculares en los últimos cien años, que oscila de 270 a 300%, puede deberse a factores como el mayor consumo de azúcar y aceites refinados, pero también hay que considerar que la carne que se consume hoy en día no es la misma que consumían nuestros ancestros. Por otro lado, el hombre moderno no sale a cazar su presa, no hay trote o cacería; en vez de utilizar herramientas de caza, empuja su carretilla de compras y utiliza su tarjeta de crédito en cómodos supermercados.

Obsérvese, por ejemplo, que el cerdo salvaje contiene 1,3% de grasa, mientras que el cerdo domesticado tiene entre 35 y 60% de grasa. La oveja silvestre tiene 5% de grasa, mientras que la oveja domesticada tiene entre 20 y 40% de grasa. Igualmente, las aves de consumo humano ya no corren y vuelan libres en las praderas, sino que son engordadas en granjas de concentración. El ganado vacuno domesticado tiene entre 18 y 41% de grasa total, mientras que el ganado que se encuentra en el oriente de África tiene entre 3 y 5% de grasa y los ganaderos de esa región tienen una sorprendente salud cardiovascular. Es evidente que nuestra proteína y grasa animal de consumo no es igual a la que consumían nuestros antepasados: eso hace que nuestra musculatura y arterias, o nuestra propia carne, tampoco lo sean.

Sépase que la proteína consumida en exceso se convierte en combustible que el cuerpo utiliza para obtener energía. El problema es que la proteína es un combustible ineficiente y sucio comparado con los carbohidratos y la grasa. Debido a que las proteínas contienen nitrógeno, al ser quemadas producen residuos nitrogenados, mientras que los residuos de la combustión de carbohidratos y grasas son mucho más limpios: tan solo agua y dióxido de carbono.

Un residuo metabólico final de la proteína es la amonia, que es un incómodo tóxico; para defenderse, el cuerpo lo convierte en úrea. Esta tarea es asignada al hígado y le confiere mayor carga laboral. La úrea es menos tóxica que la amonia, pero aun así es un residuo metabólico y necesita ser eliminado, entonces el trabajo pasa a manos del riñón, que deberá retirar la úrea del torrente sanguíneo. Resumiendo, las dietas excesivamente ricas en proteínas intensifican la carga de trabajo sobre el riñón y el hígado, al mismo tiempo que incrementan los residuos metabólicos tóxicos en la sangre.

Las tablas de nutrición de la FDA (Food and Drug Administration) nos dicen que el hombre norteamericano consume como promedio tres a cinco veces más de la proteína que necesita para su requerimiento diario. Evidentemente, este exceso impone una carga a la salud. La tradición médica china ilustra este asunto con una alegoría: el hombre tiene 32 dientes en la boca de los cuales cuatro son caninos, a los caninos se les considera como utensilios para desgarrar carne. El mes calendario tiene 31 días, si se dividen 32 dientes entre cuatro caninos, tenemos ocho. Por lo tanto, como máximo, se debe consumir carne cada ocho días. Con ironía se puede añadir que, como los dientes son blancos, entonces solo se debe masticar carne blanca.

ALIMENTACIÓN ESTÁNDAR

Muchos lectores pensarán que el síndrome de hígado graso, como el aquí presentado, pertenece a sujetos que abiertamente abusan de su dieta, el alcohol, las parrillas y chuletas. Pero los hechos demuestran que la dieta estándar, considerada como aceptable, finaliza en estos síndromes descritos.

Tan distorsionado es el concepto de nutrición que hombres y mujeres inteligentes, concienzudos de su salud, que presumen de su alimentación sana, padecen de esta condición. Cuando un paciente dice que su alimentación es saludable y balanceada, inmediatamente nos viene la sospecha, y luego la verificación, de que no lo es.

Poco se pregunta a los pacientes sobre sus hábitos alimenticios; muchos médicos asumen que si comen carne, arroz, fruta, leche y verduras, tienen todo lo que el cuerpo necesita en cantidades adecuadas. Esta filosofía es la que vive en la conciencia de la población, en todas las clases sociales y se transmite oralmente de generación en generación. Veamos en qué consiste la "alimentación sana".

Dieta diaria estándar

DESAYUNO	ALMUERZO	CENA
Pan con mantequilla queso fresco o mermelada. Jugo de papaya u otra fruta. Café con leche.	Estofado de pollo con arroz ensalada o algunas verduras.	Algo ligero como pan con jamón, palta, aceitunas, queso; o lo mismo que en el almuerzo. Una taza de leche.

A simple vista resulta una selección normal, reglamentaria o perfecta, todo está balanceado; el menú, en definitiva, es arquetípico de Latinoamérica. Hay leche, proteína, carbohidrato, fruta y verduras, ¿qué más se puede pedir?

Si hacemos un análisis crítico de la dieta "sana", vemos que el pan casi siempre es el popular pan francés, que no puede ser considerado nutritivo. Si el pan es "integral", sépase que está lejos de serlo verdaderamente; en el mundo casi no existe el pan integral, por el simple hecho de que no se utiliza harina integral. En la mayoría de los casos, se utiliza una mezcla de harina blanca con afrecho (fibra) para darle color y consistencia "integral". Entonces, desde el punto de vista proteico, vitamínico y mineral, es equivalente a comer pan blanco, radicando la diferencia en el contenido de fibra.

El pan, para ser llamado integral, debe ser hecho con la integridad de la semilla del trigo, con la cáscara (fibra), el germen (vitaminas y minerales), aceites esenciales, el endospermo (almidón) y el gluten (proteína). La semilla de trigo, para germinar y procurar vida a una nueva planta, debe estar completa e integral, lo mismo que para ofrecer vida y florecimiento al hombre.

La siguiente tabla resume los porcentajes de pérdida de minerales y vitaminas de la harina blanca con relación a la harina integral.

Porcentaje de empobrecimiento de la harina blanca de trigo

MINERALES		VITAMINAS	
Hierro	84%	Vitamina B1	82%
Potasio	76%	Vitamina B2	69%
Cobre	75%	Niacina B3	86%
Manganeso	71%	Vitamina B6	50%
Magnesio	52%	Ácido pantoténico	54%
Calcio	50%	Vitamina E	100%
Provitamina A	100%		

Como vemos, no se necesita mucha agudeza para ver que el pan blanco no es un aliado de la nutrición. Pero lo más triste es que el pan no solo ha sido privado de sus nutrientes sino que, además, a la harina blanca con que se fabrica le han sido añadidos aditivos sintéticos.

ADITIVOS SINTÉTICOS DE LA HARINA BLANCA

- **Bromato de potasio:** actúa como oxidante, madurador y blanqueador de harina.
  Efectos colaterales: náuseas, diarreas, vómitos, dolores abdominales, convulsiones.
- **Cloro (blanqueador):** agente antibacteriano y antimicótico.
  Efectos colaterales: irritante, destruye nutrientes.
- **Dióxido de cloro:** agente blanqueador.
  Efectos colaterales: no se ha investigado la seguridad de sus efectos en la salud. Se destruyen nutrientes y vitamina E.
- **Azodicarbonamida (azoforamida):** mejora la tolerancia de la masa con las condiciones de fermentación.

El pan podrá ser untado con mantequilla en el mejor de los casos, pero más probable es que lo sea con margarina, donde tenemos que entre 10 y 47,8% de sus aceites son ácidos grasos trans.

La mermelada debe considerarse como azúcar gel, no guarda el contenido vitamínico y mineral de la fruta. Del café no se tiene que hablar mucho y de la leche que lo acompaña, con toda seguridad será pasteurizada o ultrapasteurizada (véase el capítulo "El lado secreto de la leche").

El arroz blanco es un carbohidrato refinado, poco se consume el arroz integral, sin embargo el principal problema del arroz es su excesivo protagonismo en nuestra dieta. Lo óptimo sería que cada día se consumiera un cereal distinto. Por ejemplo: lunes, arroz; martes, avena; miércoles, quinua; jueves, cebada; viernes, maíz; sábado, centeno; y el domingo, trigo.

El pollo también tiene la tendencia a empollar demasiado sobre nuestros platos, y ahora más aún por su bajo precio. Estudiando fielmente los hábitos de consumo, no se exagera en decir que las personas comen pollo, al menos en el Perú, tres o cinco veces por semana. Lunes, ají de gallina; martes, milanesa de pollo; miércoles, nuggets (clase media) o aguadito de pollo (clase baja); jueves, estofado de pollo; viernes, arroz con pollo; sábado, pollo con tallarines; y el domingo, el desayuno es tamal con pollo y en el almuerzo tal vez se salga a comer en un agasajo familiar pollo a la brasa.

Evolutivamente estaríamos acercándonos a desarrollar plumaje y nuestros hijos cada vez nacerán con mayor cacareo y pío pío en sus voces. Puede resultar cómico, pero nadie en su sano juicio puede negar que algún tipo de consecuencia, tanto a nivel bioquímico como espiritual, deberá resultar de esta alimentación o quizá deberíamos decir "pollificación".

La ensalada que consumimos en el almuerzo no suele tener muchas verduras crudas de alto valor nutritivo como berro, perejil, arúgula, acelga, espinaca, albahaca o rabanito. En cambio, sí ostenta los tres ingredientes arquetípicos: lechuga, pepino y tomate, los cuales en verdad no destacan por sus virtudes y méritos nutritivos.

Esta descripción es un ejemplo en el que quizá muchos no vean reflejados sus hábitos, otros sí los verán, y algunos lo harán parcialmente. Pero lo que sin duda revela es lo que se puede encubrir con el eufemismo: "una alimentación sana y balanceada".

BILIS Y GRASA ANÍMICA DEL HÍGADO

La conciencia del hombre, como una lluvia que cae del cielo, tiene una influencia determinante sobre la naturaleza de nuestra carne. Inversamente, nuestras vísceras, como las evaporaciones que se elevan al cielo, al burbujear alimentan pasiones que determinan la naturaleza de la conciencia. Así, la grasa del hígado también enloda el espíritu, y el hombre, ciego a los móviles profundos de su conducta, queda sin la bendición de una plena libertad. Las entrañas y la conducta coexisten con pareja reciprocidad.

Una característica del hombre hepático es que no puede ser espectador de sí mismo o de lo que le rodea; su percepción de la vida siempre lo involucra, no puede ser testigo de los sucesos, siempre es partícipe. Bastante esfuerzo es tolerarse a sí mismo cuando se reacciona ante todo. Sin descanso, las emociones rebotan como pelotas en su interior, de afuera hacia dentro y de adentro hacia fuera. Aunque es consciente de su absurda condición y busca frenarse, el galope de su hígado, indomable como su genio, lo sorprende vencido.

Tenemos dos tipos de rabia, la que se manifiesta en los "ladridos" de los hombres cascarrabias o en las mujeres que hablan con venenosas intenciones y la que existe de forma subterránea entre los inexpresivos. Las primeras son una liberación y descarga que traen sus naturales y correspondientes consecuencias, dependiendo de las intenciones que la mueven. La segunda puede ser un odio glacial, una fuerza potencial que se sella en la memoria de las células. A veces el odio puede más que el miedo y arrojamos cólera, pero, cuando prima el miedo, el odio se archiva mas no desaparece.

Es común ver a sujetos que estoicamente se autosacrifican por el bien de otros, mientras tanto la frustración engorda escondida y hace que con el tiempo el hígado se vea colmado de ira. Pasado cierto límite, como si se destapara una botella de champaña, la grasa en ebullición nos dará los síntomas de la hiperactividad del hígado.

El hombre, con su mente, procrea la realidad. En virtud de un diálogo interior indisciplinado, hay personas que imaginan agravios, ofensas e infidelidades. Se molestan por cosas que nunca han ocurrido pero se figuran que podrían ocurrir. De esta manera, secretamente, van procreando los hechos, el "azar" los enfrenta mágicamente consigo mismos y comprueban claramente la correspondencia entre su topografía interior y exterior, solo para luego alimentar pensamientos cada vez más avinagrados.

Bajo el moderado estímulo del alcohol, las personas liberan humor, levedad y hasta romanticismo, pero si el alcohol cala más hondo desde la grasa de su hígado embriagado se despierta la violencia. Los diablos azules de la bebida son síntoma inequívoco de lo que habita en el hígado; aunque luego lo lamente, al quedar poseído de sus frituras internas, la persona busca el alcohol para destemplar las compresiones internas que padece.

Desde la perspectiva de la medicina china, el hígado pertenece a lo que se conoce como el elemento Madera. En el elemento Madera tiene lugar el nacimiento de la vida. Una relación lingüística con esta perspectiva la tenemos en el inglés. La etimología de hígado, *liver*, está emparentada con *to live*, "vivir". En alemán *leber* se puede traducir como "aquello que da vida".

El elemento Madera está representado por la primavera, el renacer de la vida, la hora de la madrugada o el inicio de cualquier ciclo: su gesto es el de una semilla que germina y se expande. El hígado, igualmente, está impregnado con las fuerzas del renacimiento. Hoy en día, experimentos de laboratorio han demostrado una completa capacidad regeneradora del hígado después de remover el 80% de su tejido. Esta es una propiedad comúnmente atribuida solo al reino vegetal. En latín, la raíz de la palabra hígado es *ficatum*, el "árbol de la vida", la "higuera"; la palabra se originaría por la costumbre de comer hígado de cordero envuelto en hojas tiernas de higuera.

Con los mismos atributos con que la mitología griega retrata a Júpiter, el hígado incita a un benevolente deseo de expansión y apertura hacia el mundo. Tiene el gesto de ir hacia el exterior, a la vez que disfruta de un armonioso intercambio social. La capacidad expresiva y la facilidad para socializar dependen de la calidad de la energía que nos da el hígado, así como la personalidad extrovertida necesita de las pulsiones radiantes de este órgano.

El hígado incita a la acción y al movimiento expansivo, pues en el hígado el glucógeno se convierte en glucosa y va a las extremidades para activar los músculos. El centro regulador del mecanismo de carbohidratos está en el hígado, esto lo hace un centro predispuesto para la actividad. El hígado está provisto de una continua corriente de materiales (vena porta) a la que transforma en energía gracias a la gran concentración de mitocondrias en sus células. Esto lo hace un órgano con alta energía potencial, con capacidad transformadora, versátil. Es capaz de transformar glucógeno en glucosa, glucosa en grasa y colesterol en sales biliares. De ser necesario también puede convertir glucosa a partir de aminoácidos, fructosa o galactosa.

El hígado tiene una innata tendencia al exceso y al calor. La temperatura del hígado está ligeramente por encima de los 40 grados, algunos lo consideran como el centro térmico del cuerpo. En medicina china los síndromes más comunes son "hígado *yang* hiperactivo" y "fuego en el hígado"; otro síndrome frecuente es la "flema caliente en el hígado": estas condiciones tienen como común denominador ser de exceso y calor.

En los textos clásicos de la medicina china se le compara con el general militar que planea y ejecuta su programa de acción. La capacidad para planear y organizar la vida depende del hígado. El hígado transforma las intenciones en acciones, el hígado y la vesícula biliar son la base del coraje y la acción. Mientras que otros órganos pueden dudar, la vesícula es decisiva e implacable.

Los griegos atribuían el temperamento colérico a la bilis y la vesícula biliar. Hasta hoy usamos frases como "no hagas bilis". En la Edad Media la cólera se definía como un proceso de diarrea biliosa; se consideraba que cuando había exceso de bilis amarilla se presentaban el mal genio y el carácter irascible. Igualmente, la palabra hipocondríaco literalmente quiere decir "debajo de los condrios o costillas cartilaginosas", y esto es en referencia al órgano que se encuentra allí, el hígado.

La rabia es, por su naturaleza, una pasión de fuerza centrífuga y ascendente; la rabia lleva la sangre a la periferia, eleva la presión, calienta la sangre, el cuerpo se vuelve una olla a presión. Es aquí donde empiezan los estados crónicos de cólera, frustración y vinagreras emocionales, los que se enquistan en nuestra alma biliar y nos llevan por una larga travesía de dolores.

El hígado también tiene un rostro más apacible, *yin*-femenino. El aspecto espiritual que le corresponde es el *Hun* o alma. El hígado está en una posición subalterna al corazón, donde reside el *Shen* o espíritu. Según el clásico de medicina china del Emperador Amarillo, en el hígado coexisten tres *Hun*, uno es del Cielo, otro de la Tierra y el último del Hombre.

Shen es el espíritu que reside en el corazón y solo se nos revela en lo hondo de nuestro silencio, cuando el corazón está vacío. Es una intuición del hombre, o una revelación, sin embargo no le pertenece al hombre. El *Hun*, en cambio, pertenece a cierto individuo y está vinculado con su destino, sueños, aspiraciones y fantasías.

La psicología moderna adscribe mucha importancia al pasado de un paciente. Pero quizá sea necesario un estudio que no solo sea retrospectivo sino también prospectivo, considerando la visión del futuro y los proyectos del porvenir. El problema de un paciente puede no estar necesariamente en hacer terapia sobre las heridas de su pasado, sino en remediar su falta de perspectiva y optimismo hacia el futuro.

Todo lo que se refiere a poderes psíquicos, visiones, sueños y otras manifestaciones del alma pertenece al ámbito del hígado. De igual manera, el alcohol y las drogas alucinógenas tienen un efecto definitivo sobre el hígado. El hepatoma es el cáncer que peor prognosis tiene y es quizá porque, en cierto sentido, es una descomposición del alma, y poco conocen los farmacéuticos y cirujanos sobre cómo sanar el alma.

HÍGADO E INSOMNIO

De noche es muy importante que la sangre se almacene en el hígado, esta es una de las razones por las que se aconseja dormir de costado y sobre el lado derecho, para no oprimir el corazón y favorecer la acumulación de sangre dentro del hígado.

Las funciones metabólicas del hígado tienen dos fases, una de construcción o anabólica y otra de desintegración o catabólica. La primera fase es de reposo, en ella se forma el glucógeno o almidón animal y su máxima actividad la tiene durante la noche, entre la una y las tres de la madrugada, que es la hora del hígado en el reloj chino. Si la fase anabólica tiende a predominar durante el día, se genera un aliciente para depresiones emocionales.

La fase diurna es catabólica o de desintegración, ocurre cuando el cuerpo necesita dextrosa para activarse. El gesto es expansivo y dinámico, por lo tanto alimentarse tarde en la noche interfiere con el sueño, porque incita al hígado a la actividad.

Durante la noche la energía se vuelve profunda y se interioriza para nutrir los órganos sólidos *yang* (riñón, páncreas, hígado, etc.). A lo largo del día la energía se hace superficial para circular en músculos y tendones. Aquellas personas que trabajan de noche y duermen de día van contra las leyes del cosmos y la víscera nunca llega a restablecerse plenamente.

El tipo de insomnio de deficiencia de hígado es el de aquel que concilia fácilmente el sueño pero se levanta repetidas veces durante la noche. El insomnio de exceso del hígado lo tiene quien padece la dificultad de conciliar el sueño, pero que una vez dormido no se levanta hasta el amanecer. El insomnio no lo causa exclusivamente el hígado, pero sí es un factor que contribuye dentro del espectro de influencias de todo el organismo.

En cierta oportunidad, una paciente de nacionalidad alemana vino a consulta en busca de ayuda para tratar su insomnio, pero tras evaluar sus síntomas y su pulso se pudo ver que padecía de hígado graso, lo cual fue verificado por su dieta rica en salchichas Frankfurter. Se decidió empezar corrigiendo el hígado para luego remediar el sueño, para lo cual se recetó un litro diario de hercampuri y una dieta libre de grasas saturadas y frituras. Para nuestra sorpresa, cuando regresó la siguiente semana reportó haber dormido muy bien todas esas noches. El hercampuri, entonces, siendo una hierba amarga, extinguió el foco de calor en el cuerpo.

HÍGADO Y ÚTERO

Un lugar de importante conexión con el *Chi* (energía) del hígado es el útero. Aquí el cuerpo es particularmente sensible a cualquier problema en el libre fluir de la energía del hígado. Lo que se conoce como tensión premenstrual es un cuadro patológico que tipifica el bloqueo hepático. El útero es un importante enclave que refleja la actividad del hígado; por ejemplo, la dismenorrea o cólicos menstruales suele ir acompañada de un conjunto de síntomas muy afines a la patología hepática como migraña, náusea, mareo, irritabilidad, dolor epigástrico, insomnio, mal carácter y dolor en los senos, entre otros.

En la cultura griega las emociones fuertes en la mujer se atribuían a perturbaciones en el útero, en griego llamado *hysterikós*. A estas mujeres se les diagnosticaba como histéricas. El anquilosamiento presente en el fibroma uterino es reflejo de otro anquilosamiento psíquico. La realidad orgánica siempre corresponde como imagen de otro dominio etéreo-energético y anímico. Realizar una histerectomía solo remueve el síntoma pero no hace nada para aliviar la causa, que podría ser algo así como un fibroma energético en el hígado.

HÍGADO Y PRÓSTATA

La medicina china sostiene que la próstata está energéticamente subordinada al dominio del hígado. Más específicamente, la hipertrofia prostática es causada por la presencia en el hígado de una deficiencia *yin* y una hiperactividad *yang*. Para que esto ocurra es muy probable que exista un vacío en la energía del riñón. El vacío de esta energía crea obstrucción y viscosidad en la pelvis al no limpiar la sangre y por gravitación hace que la flema caliente prevalezca en el bajo vientre.

En suma, la hipertrofia prostática es una combinación de deficiencia de riñón e hiperactividad hepática. Esto constituye un factor de riesgo para la prostatitis y el carcinoma prostático.

OTROS SÍNDROMES PRESENTES EN EL HÍGADO

Brevemente pasamos a describir otros síndromes del hígado que pueden parcialmente formar parte del síndrome de grasa caliente en el hígado. Así como el hielo se derrite en forma de agua y luego se hace vapor, el hígado enfermo transita por una serie de fases. La frustración o irritabilidad nos da el síndrome llamado "estancamiento de la energía del hígado" y es consecuencia de la congestión que produce en la sangre —como coágulos, grasa o toxicidad que hace que la calidad nutritiva de esta sea insuficiente–; sucede entonces el "síndrome de deficiencia *yin* del hígado". Si este último se agrava o perdura como condición crónica deviene en el "síndrome de hiperactividad *yang* del hígado".

Progresión de la enfermedad

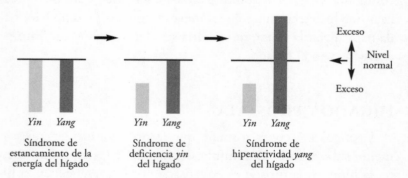

Yin Yang	Yin Yang	Yin Yang
Síndrome de estancamiento de la energía del hígado	Síndrome de deficiencia *yin* del hígado	Síndrome de hiperactividad *yang* del hígado

Estancamiento de la energía del hígado

Quizá este sea uno de los síndromes más difundidos y el que marca también el incipiente inicio de toda una cadena de condiciones bastante más graves. Una de las funciones centrales del hígado es hacer que la energía fluya libremente, como un río, algo que en este caso no sucede. El pulso que acompaña a este síndrome se llama cordado, pues bajo los dedos semeja la rígida percusión de un alambre templado o las finas cuerdas de un violín.

Imaginémonos una mujer frustrada, a la que su trabajo no le ofrece satisfacción personal, para quien la oficina es un ambiente de agreste trajín. Añadamos conflictos en el hogar, problemas con la pareja, con los hijos. En su vida no hay contacto con aquello que da felicidad y expresión a su hígado. No puede expresar ni comunicar sus emociones, no libera su angustia interna, hay frustración y cólera reprimida que se almacena en el interior, paralizando las energías. La situación se agudiza con el pasar del tiempo, el cuadro sintomático es de tensión nerviosa y autorrepresión emocional. Entre los síntomas físicos tenemos: dolor al hipocondrio, tensión premenstrual, menstruación irregular, irritabilidad, depresión, gastritis, náuseas y vómitos, congestión en la garganta.

Para ayudar a armonizar el hígado se puede usar comidas como vegetales y legumbres verdes y, en tiempos de depresión, comidas dulces. La miel de abeja es aconsejable por su efecto depurativo, mejor si está mezclada con vinagre de manzana. Otras comidas pueden ser jugo de caña, malta de cebada, stevia, chancaca (panela). Estas comidas ayudan a remover el estancamiento, pero deben evitarse si se presentan síntomas de calor.

Christine es una paciente de 45 años que llegó al consultorio con dolores lumbares crónicos. Habiendo probado quiropráctica, fisioterapia y masajes sin alivio alguno. Tras una evaluación médica se llegó a diagnosticar un estancamiento en la energía del hígado, debido a su pulso alámbrico, dolores de cabeza ocasionales y problemas digestivos. Al llegar, se recostó sobre la camilla y tres agujas fueron insertadas con el propósito de hacer fluir la energía del hígado. Después de unos minutos ella señala que tiene una sensación caliente en la zona baja del abdomen; poco tiempo después se queja de un incrementado calor y dolor en la zona, el cual recrudece cada vez más.

Debido a su pánico, desesperación y dolor, le pedí que relajara su respiración y aceptara el proceso; siguiendo estas indicaciones ella ingresa a una profunda relajación a la vez que padece un significativo dolor. Estando relajada le sugerí que me hablara de la parte de su cuerpo que la agobiaba. Ella pasó a describirme objetivamente todas las sensaciones presentes: los hormigueos, las tensiones, pulsaciones, entrando cada vez más en el abismo de su dolencia. Luego de haber descrito el mapa de las sensaciones de su cuerpo, le pido que observe cómo siente emocionalmente la manifestación de este dolor. Sus palabras salen sin rastro de dudas, me señala que siente cólera, producida en ese momento por poner bajo la lupa una espantosa sensación de dolor y martirio cuando tendría que estar pensando en llamar a la ambulancia.

Yo era consciente de que buscaba que ella se embriagara de su rabia, de antemano sabía que el sistema del hígado estaba afectado, entonces pude lanzarle una ofensiva para conocer la información que emergía de sus vísceras. Le pedí que buscara un momento de su historia en el que hubiera sentido estas mismas sensaciones físicas y emocionales.

Tras una exhalación inquietante y sudor caliente en la frente del que se distinguía su estado, me relata que, hace un tiempo, estaba en Indonesia, en una labor de trabajo para las Naciones Unidas. Tras un largo día de trabajo, tomando té, su autoritaria jefa, quien era lesbiana, le relata los detalles de sus complicaciones en su relación de pareja, ella, que no quisiera estar escuchándola, en un silencio erizado siente un similar torniquete abdominal.

Le pedí que vuelva a describir sus sensaciones físicas y luego, nuevamente, otro momento en el que haya estado expuesta a las mismas sensaciones físicas o emocionales. Relata que en el tiempo en que acababa de separarse de su esposo, este la invita a su departamento para pedirle consejos sobre sus problemas con su nueva pareja. Otra circunstancia anterior en su biografía fue cuando ella tenía unos 13 años y vivía entregada a sus cabras en una granja en Minnesota. Un día, cuando llegó del internado, no solo se dio con la sorpresa de que sus cabras habían sido sacrificadas sino que en su reemplazo, como regalo de Navidad, obtuvo un peluche de cabra. Una memoria biliosa fue lo que quedó de estas navidades. La última historia fue de cuando tenía 5 años. Estando en el campo fue corriendo a la cocina de su casa para mostrarle a su mamá un sapito que cargaba en su mano, la madre irrumpe en un grito de histeria y llanto por su repudio al animal, el padre, advirtiendo que su esposa está aterrada, decide castigar físicamente a su pequeña hija por propiciarle tal susto.

Todas estas historias fueron almacenadas con una cólera glacial reprimida, sin embargo se hace pública y manifiesta en los dolores de la musculatura. Este quiste de rabia salió con el sudor y el dolor de la erupción de este volcán abdominal, con el que además pudo comprender la contención de su rabia durante tanto tiempo. La semana siguiente regresó con otro semblante y con solo vestigios de lo que fue su lumbagia inicial.

Deficiencia *yin* del hígado

La flema caliente en el hígado nos remite a viscosidad, impureza, catarro y flema. Sería incompleta la exposición si no se mencionara cómo nutrir la calidad de sangre del hígado, aunque técnicamente entramos a describir otro síndrome. La deficiencia *yin* en el hígado es indicador de una deficiencia de la calidad de la sangre, una falta de nutrientes, o también una insuficiencia del mismo.

Los síntomas son: visión borrosa, mareo, uñas quebradizas, fatiga, menstruación escasa, semblante pálido, debilidad muscular, calambres y espasmos musculares. Ciertas mujeres tienen estos síntomas recrudecidos durante la menstruación o en días previos a esta. La pérdida de sangre agrava los síntomas porque la sangre ya de por sí es insuficiente y poco nutritiva.

Se ha establecido que la mejor forma de oxigenar, purificar y nutrir el hígado es por medio de verduras verdes oscuras y crudas, ricas en clorofila, como por ejemplo: berros, albahaca, perejil, acelga, arúgula, diente de león y espinaca. Otros son los germinados de alfalfa, la zanahoria y la betarraga (remolacha), que son particularmente benéficos. Adicionalmente se pueden incluir alimentos como frejolito chino germinado, pepinillo, tofu, uvas negras y ciruela; aceite prensado en frío de linaza, aceite de prímula; hierbas como diente de león, cola de caballo, comfrey *(Symphytum officinale)* o hierbas chinas como el dang gui *(Angelica sinensis)*.

Las verduras mencionadas son de color verde gracias al pigmento de la clorofila. En el centro de la molécula de la clorofila encontramos el magnesio, un mineral crítico para el reino vegetal y también para el hígado. En los animales, la sangre opera en medio de la hemoglobina, en cuyo centro está el hierro. Se puede decir que para los animales el hierro es lo que para las plantas el magnesio.

Hiperactividad *yang* del hígado

Es el tercer paso del síndrome, que ocurre mucho después del estancamiento en el hígado y luego de la deficiencia de la sangre del mismo. Ahora los síntomas son de falso calor y exceso; decimos "falso exceso" porque se origina a partir de una deficiencia *yin*. En el pulso esto se presenta como pulso flotante, lleno en la superficie pero vacío en la profundidad, duro en el exterior pero vacío al interior. Entre los síntomas presentados están la hipertensión arterial, la migraña, el insomnio, palpitaciones al corazón, mareos e irritabilidad, entre otros.

Las comidas para calmar la hiperactividad del hígado son el diente de león, el rabanito, vinagre de manzana, berros y comidas ricas en clorofila, que en medicina herbolaria generalmente pertenecen al grupo de hierbas amargas.

Espero que con estas reflexiones se ayude a desamargar emocionalmente y desintoxicar nutricionalmente el hígado, y que el hígado de todos logre expresar su sana pasión y dulce vehemencia por la vida. No más *paté foie gras*, no más bilis, no más cóleras, emociones cavernosas o sentimientos avinagrados.

CONSEJOS SALUDABLES
PARA UN HÍGADO SANO

Frituras

¿Con qué aceite se debe freír?

Los aceites vegetales que se usan en la cocina suelen ser poliinsaturados y la industria se enorgullece de ese hecho publicitándolo en letras grandes. Pero la verdad es que para la fritura son mucho mejores los aceites saturados.

Es cierto que los aceites poliinsaturados son buenos para la salud, pero, en primer lugar, deben ser prensados en frío para preservar sus cualidades; de no ser así, son refinados o hidrogenados y contienen sustancias tóxicas como ácidos grasos trans. En segundo lugar, para freír debemos utilizar un aceite estable que no se altere o descomponga con cambios súbitos en la temperatura.

El aceite poliinsaturado tiene muchos enlaces dobles en sus cadenas moleculares, estos enlaces dobles son los más susceptibles de oxidarse rápidamente debido a las temperaturas altas y a la presencia de luz y oxígeno. Con la fritura se inicia una reacción en cadena de desestructuración del aceite, con lo que se forman radicales libres y concentraciones aun mayores de ácidos grasos trans.

Por otro lado, los aceites saturados no son buenos para la salud en sí mismos, pero si el hombre insiste en que debe freír, este aceite ofrece la máxima protección. El aceite al estar saturado de moléculas de hidrógeno tendrá mayor estabilidad, difícilmente se podrá descomponer y el daño que sufre con el calor es mínimo.

Por lo tanto, el aceite de oliva extravirgen es muy superior a la mantequilla como alimento, pero si vamos a freír, la mantequilla será preferible. La margarina, por otro lado, es inaceptable desde todo punto de vista y debe desaparecer de la cocina.

Los aceites vegetales son generalmente insaturados; sin embargo, en el reino vegetal existen algunas excepciones: el aceite de palma, o ácido palmítico, es una grasa saturada al igual que el aceite de coco y la manteca de cacao. Estos aceites no son grasas esenciales, deben consumirse con moderación, pero son una buena alternativa en la cocina, sobre todo para las frituras, aunque sean nutritivamente inferiores. En el mercado se puede conseguir con facilidad el aceite de palma, también conocido como manteca vegetal.

Los aceites tropicales son ampliamente utilizados en la industria alimentaria, muchísimos productos como galletas, chocolates, mayonesas, tortas, etc. lo contienen; debido a que son líquidas, son fáciles de usar en el preparado de alimentos y, debido a su grasa saturada, extienden el ciclo de vida de almacén de los alimentos. Aunque son útiles para la industria alimentaria y, excepcionalmente, lo podemos considerar en el caso de las frituras, estas grasas contribuyen a las enfermedades al corazón y es preferible evitarlas.

Una mejor alternativa para las frituras es el *Gee* o la mantequilla clarificada. En medicina ayurvédica o medicina hindú, se le considera un excelente remedio. Para preparar el Gee, se derrite la mantequilla a fuego lento y luego, con una cuchara, se elimina la capa flotante de nata, que son las grasas de cadena más larga, hasta quedarnos con una mantequilla líquida, la cual se utiliza para freír.

Al comprar un aceite prensado en frío, se debe preferir el que se encuentre en botellas de vidrio oscuro, para evitar que se degrade a causa de la luz. Cuando un aceite se hace llamar *light*, indica que se ha dado lugar a una selección de las grasas de cadena corta, a expensas de las cadenas moleculares largas; debido al proceso de refinamiento tampoco es recomendable.

La manera tradicional china de hacer verduras saltadas en el *wok* nunca permite que el aceite humee. Un aceite vegetal que humea debe ser descartado. Sobre el *wok*: antes de poner el aceite, debe ponerse un poco de agua; de esta manera se protege el aceite evitando que se recaliente. Asimismo, para minimizar el daño, es preferible poner primero los vegetales sobre la sartén y luego el aceite.

Hervir un aceite es menos nocivo que freírlo, el agua se hierve a 100º C mientras que al freír la temperatura puede llegar hasta 215º C. Hornear los alimentos hace que la temperatura llegue, por ejemplo en el pan, a 116º C. Los aceites del pan pueden conservarse, solo los aceites de la corteza se destruyen.

Hierbas

Un excelente tratamiento para la grasa caliente en el hígado lo permiten las hierbas como el hercampuri, el cardo mariano, el agracejo, el pajarobobo y la carqueja. Estas hierbas tienen como común denominador el ser de sabor amargo, pero sépase que lo que es amargo a la boca es dulce al hígado.

Hierbas recomendadas

Nombre	Función
Hercampuri *(Gentianella alborosea)*	Facilita la secreción de bilis (colagogo), es hipo-colesterolémico (baja el colesterol) y tiene efecto diurético. Es regulador del metabolismo graso, utilizado para reducir el sobrepeso. Su efecto particular es el de eliminar la grasa del hígado. En la sangre baja los niveles de colesterol LDL, movilizándolo para ser transformado en sales biliares. *Se emplea en condiciones como barro biliar, cálculos biliares, hepatitis y cirrosis. Debe consumirse preferiblemente antes de las comidas o con el estómago vacío.*
Cardo mariano *(Silybum marianum)*	El cardo mariano protege el hígado y le da la facultad de desintoxicarse. Extensas investigaciones hechas en los últimos treinta años demuestran que el extracto de cardo mariano es un efectivo tratamiento para la cirrosis, hepatitis y hepatomegalia, entre otras enfermedades del hígado. Los ingredientes activos eliminan toxinas al acoplarse con proteínas y receptores de la membrana celular. El principal ingrediente activo del cardo mariano es la silymarina, que tiene propiedades antioxidantes diez veces más poderosas que la vitamina E. La silymarina recoge los radicales libres que dañan las células y causan peroxidación lípida, actúa principalmente sobre el hígado y los

Nombre	Función
	riñones, donde es un antídoto contra las sustancias tóxicas que allí se acumulan. En varios experimentos se ha comprobado que la silymarina protege contra úlceras y problemas gastrointestinales. Alivia alergias actuando como bloqueador histamínico y reduce la actividad de agentes promotores de tumores. El extracto de cardo mariano también mejora el hígado graso causado por daño químico. *Se usa en casos de ictericia, colagogo, colerético y para restaurar las funciones del hígado. También se utiliza en el tratamiento de la cirrosis, desórdenes de la vesícula biliar, para daños químicos tóxicos, abuso de alcohol, cálculo biliar, hepatitis B, C, D, E.*
Agracejo *(Berberis vulgaris)*	Es una hierba muy popular para los desarreglos estomacales de origen hepático. Contiene el alcaloide berberina que estimula el metabolismo hepático. Es la planta ideal para gastritis, embotamiento, gases, mal sabor en la boca y náuseas. Es diurética y también ayuda a disolver cálculos biliares y renales. Sirve como depurativo del hígado y a la vez mineralizante. Tiene un moderado efecto laxante, pero también es una de las mejores hierbas para la diarrea. Su uso popular es como digestivo estomacal. Para aprovechar este efecto es preferible usarlo después de los alimentos tomando una taza de agua de agracejo después de cada comida. Estudios científicos señalan la fuerte acción bactericida del agracejo. Veamos ahora sus cuatro principales ingredientes activos estudiados en laboratorio.

Nombre	Función
	Berberina: tiene actividad antibacteriana, combate *Staphilococcus chlamydia, Candida albicans,* etc., aumenta el flujo de sangre al bazo, reduce la fiebre, estimula la secreción biliar, nivela la bilirrubina, inhibe tumores cerebrales. Oxyacanthina: dilata los vasos sanguíneos, modula la adrenalina, combate *Bacilus subtilis* y *Colpidium colpoda.* Palmitina: antiarrítmico, analgésico, adrenocorticotrópico, bactericida. Jartrorrhizina: sedante, hipotensor, fungicida. *Se usa como diurético, estimulador del apetito, antiinflamatorio, antiséptico, tónico y purificador de la sangre, estimulante hepático. Combate la diarrea crónica, indigestión, ictericia, hepatitis, artritis, infección urinaria y renal, infección bronquial, candidiasis, gastritis de origen hepático.*
Pajarobobo *(Tessaria integrifolia)*	Es una planta que tiene la propiedad de ser útil en todo tipo de hepatopatologías. Purifica y mineraliza el hígado. Contiene en sus hojas catequinas y flavonoides con acción hepatoprotectora y desintoxicante. *Se usa frecuentemente en pacientes alcohólicos y para todo tipo de hepatopatologías.*
Carqueja *(Baccharis crispa)*	Su uso y propiedades son muy similares a los del agracejo, con el que se puede alternar. Contiene flavonoides hepatoprotectores.
Boldo *(Peumus boldus)*	Contiene boldina y aceites esenciales. *Se usa por su propiedad colerética, colagoga y diurética.*

Nombre	Función
Diente de león (*Taraxacum officinalis*)	Tónico hepático y diurético. Tonifica el hígado y es digestivo. Es un laxante, se usa en problemas biliares de vesícula, ictericia hepática y en el tratamiento de diabetes. Es una planta mundialmente famosa y utilizada comúnmente para las enfermedades del hígado y que, siendo un poderosísimo diurético, es además muy rica en potasio, contrariamente a los diuréticos farmacéuticos que más bien lo desgastan.
Levadura de cerveza (*Saccharomyces cerevisiae*)	Su contenido es rico en vitaminas del complejo B y aminoácidos, además es una fuente natural de múltiples minerales. Es reconocida como la fuente más rica en cromo, el cual se necesita para el metabolismo de grasas y carbohidratos, por lo tanto ayuda a bajar de peso. Provee todos los nutrientes necesarios para el hígado.
Lecitina	Es un fosfolípido compuesto en su mayoría por colina. La lecitina no solo ayuda a mantener la integridad de las células del hígado, también ayuda a regenerar el tejido dañado y normalizar la función biliar. Protege el hígado contra la deficiencia de colina, que es esencial para el metabolismo de grasas; la colina previene los depósitos de grasa en el hígado y baja el colesterol. Animales con deficiencia de colina han mostrado daño hepático similar al producido por el alcohol en el hombre. La colina es necesaria para la correcta transmisión por el sistema nervioso central de impulsos nerviosos, es beneficiosa para los trastornos del sistema nervioso, como la enfermedad de Parkinson. Entre las fuentes que la proveen tenemos: yema de huevo, lecitina de soya, legumbres, soya y cereales de grano entero.

Nombre	Función
Aceite de oliva extra-virgen *(Olea europea)*	Presenta cicloarterol que favorece la secreción biliar y feniletanol que reduce la absorción de colesterol en el intestino. Previene la formación de cálculos biliares. Mejora la digestibilidad de las grasas consumidas.

Verduras

Las mejores verduras que podemos consumir son: zanahoria, alfalfa, alcachofa, caihua y betarraga. Particular importancia tienen todas las verduras verdes oscuras, ricas en clorofila; estas deben consumirse en abundantes cantidades pues ayudan a oxigenar y purificar el hígado.

La alcachofa (*Cynara scolymus*) es un alimento muy recomendado. El mayor beneficio de esta planta de origen mediterráneo no está en el corazón sino en sus hojas, donde contiene principios polifenólicos que le confieren actividad benéfica al hígado. Presenta cinarina, que es hepatoprotector, baja el colesterol y facilita la secreción de bilis. Además de consumir el sólido se suele hacer cocimiento de sus hojas para beber.

APÉNDICE
¿Por qué carecemos de magnesio?

Estamos bombardeados por publicidad que nos alerta sobre la importancia del magnesio. El problema es que nos han hecho entender que el magnesio solo se encuentra en productos farmacéuticos y no se hace nada para informar al público sobre cómo obtener este mineral de forma natural. Una medida práctica para incrementar el magnesio en la dieta es reemplazar la sal de mesa por sal marina, consumir soya, higos, limón, fuentes de clorofila como las verduras verdes.

El abono químico ha hecho aumentar considerablemente el rendimiento de los suelos y las cosechas actuales duplican o triplican las de hace 50 años. Todo ello gracias al fertilizante moderno que lleva nitrógeno, fósforo y potasio (NPK), así como cal y azufre.

El magnesio, sin embargo, aun siendo crítico para las plantas, por lo general no forma parte de los fertilizantes comúnmente utilizados. Abonar el suelo con magnesio no trae mejorías en el rendimiento de la cosecha. Cuando vamos al mercado pagamos un precio por el peso del producto y no por su contenido mineral.

Los libros que tratan sobre abonos de agricultura nos dicen que la extracción de magnesio en un terreno en producción agrícola es de 30 kg por hectárea al año. Ciertos técnicos agricultores, ajenos a la salud, han considerado que no es necesario devolver este elemento a los suelos, porque los suelos son "ricos" en magnesio.

El magnesio se encuentra en el suelo principalmente gracias a rocas magmáticas, como los feldespatos y las micas. Estas últimas, sobre todo las micas negras, son ricas en magnesio. Las micas y los feldespatos se van descomponiendo por la acción del anhídrido carbónico del aire y la humedad; así, poco a poco, las micas van dejando libre el magnesio que es absorbido por las raíces de las plantas.

Antes de la era de los fertilizantes se obtenían 700 a 800 kg de cereal en zonas de suelo pobre, donde además se cultivaba cada dos años; las extracciones de magnesio eran de 5 kg por hectárea cada dos años. Hoy en día, estos mismos terrenos rinden 1500 a 1600 kg de grano por año, o sea que se ha doblado la cosecha en la mitad de tiempo. Al suelo se le añaden NPK, sulfatos amónico y potásico y fosfatos fosforados y cal, pero nada de magnesio.

Debido a la agricultura intensiva muchos terrenos han perdido sus reservas de este mineral; algunos terrenos que han sido investigados mostraron al momento de la medición la mitad del magnesio que poseían hace 40 años. También se han analizado alimentos y se ha encontrado que aportan entre la mitad y la tercera parte del magnesio que necesitamos en nuestra dieta.

Si vemos plantas con un vistoso color verde, es sugestivo pensar que tienen adecuados niveles de magnesio. Lo que no se sabe es que la clorofila solo utiliza entre el 1 y el 5% del magnesio disponible, el resto se encuentra en la savia de la planta. Las plantas necesitan una sobradísima cantidad de magnesio en su savia en relación con la que se necesita para formar clorofila. Conclusión: un vegetal puede tener un magnífico color verde y sin embargo presentar deficiencia de magnesio.

Por lo general, los suelos tienen magnesio, pero hay suelos ricos en magnesio y otros muy ricos en magnesio. Los ríos Tigris y Éufrates son afluentes de agua con rica concentración de magnesio, lo cual hizo que entre sus tierras, la Mesopotamia, se desparramase magnesio y, en ese suelo fértil, floreciera la civilización de Babilonia. Es interesante que, además, estos ríos tengan su origen en el Cáucaso, donde históricamente han habitado los hombres más longevos. En estas tierras existe una exuberante cantidad de magnesio que alcanza a sus cereales y verduras. Igualmente en estos territorios el cáncer es desconocido entre sus pobladores.

CAPÍTULO CINCO

Grasas del corazón

Lo que los ojos de los ignorantes abarcan al contemplar el aspecto externo del cuerpo humano es cosa pequeñísima en comparación con los admirables artificios que encuentra en ello un exquisito y diligentísimo anatomista y filósofo, cuando está investigando el uso de tantos músculos, tendones, nervios y huesos, examinando la función del corazón y de otros miembros principales, buscando la sede de las facultades principales, observando la maravillosa estructura de los instrumentos de los sentidos y, sin terminar nunca de sorprenderse y aquietarse, contemplando el receptáculo de la imaginación, la memoria y el razonamiento.

Galileo Galilei, 1615

LAS GROTESCAS CONSECUENCIAS DEL CORAZÓN OBESO

Si por un momento suponemos que el corazón es un volcán y que este volcán debe expeler su magma hacia la existencia que lo rodea, como un radiante sol, entonces este volcán deberá sostener una continua y amorosa actividad, salpicando incondicionalmente todo su calor humano. Sin embargo, hay actitudes en el hombre que taponan la boca del volcán. Este corcho puede ser un conjunto de postergaciones y autosacrificios que buscan rellenar y complacer la periferia, mientras que nuestro centro se va olvidando o negando.

El hombre se preocupa por satisfacer a su jefe, su esposa, sus hijos, los padres, pero no se le ocurre reconocerse a sí mismo, ser egoísta en el sentido positivo de la palabra y atender lo que hace palpitar de gozo a su corazón. Es como si ante cada impulso entusiasmado del corazón hubiese una mano represiva y dominante que disuelve y adormece su vida. Si esta situación continúa, el corazón, como un guiso en cocción, tendrá una burbujeante ansiedad, y es que el hombre mismo es el que ha trabado la expansión de sus fuerzas vitales. Esta efervescencia psíquica es la que hace que tantas personas vivan adictas a los ansiolíticos y calmantes.

En la medicina occidental los problemas de ansiedad son atribuidos a desórdenes del sistema nervioso, mientras que en la medicina oriental el órgano donde se aposenta este sentimiento es el corazón. De igual modo, la medicina china establece que la felicidad es el sentimiento que robustece al corazón y la infelicidad se corrige armonizándolo. Sin embargo una felicidad excesiva o desmesurada debilita el corazón. Las carcajadas artificiales son muestras de un desequilibrio en el corazón, cuando vemos a personas que, alrededor de unas botellas de cerveza, dan inexplicables y sonoras carcajadas, inmediatamente dudamos de su salud emocional. Este tipo de "felicidad" denota una profunda inseguridad y miedo a autoexaminarse y da una ilusoria sensación de poder. Risotadas y cosquilleos de este tipo son como el reventar de unas burbujas nerviosas. La risa auténtica y profunda viene de las entrañas y no de un súbito espasmo de la garganta.

Con sello indeleble en el corazón están escritas las cosas que lo hacen cantar. Si los sucesos que lo alegran y embriagan ya no afloran, entonces una solitaria nostalgia visita el corazón cuando se acuerda de su desatendida verdad interior. Como una primitiva sensación, en cada hombre late la posibilidad de este fantasma e intuitivamente sabemos que este fantasma trabaja secretamente en el interior. Quien ha visto, o acaso vislumbrado, la verdad interior no la olvida nunca. Durante la noche, el fondo último de sus sueños se lo recuerda a cuentagotas con las historias que recrea Morfeo.

En Asia, cuando se habla de inteligencia, no se señala la cabeza, sino más bien se pone la mano en el pecho. Un aspecto importante del corazón es hospedar la claridad mental, si esto se pierde entonces se deriva una serie de enfermedades crónicas, como cáncer, artritis reumatoide, gastritis o, en casos severos, la demencia. La definición médica china del corazón incluye: circulación de la sangre, conciencia, espíritu, sueño, memoria y es donde se aloja la mente.

Al aspecto espiritual del corazón se le nombra *Shen*, que es el espíritu que se hospeda en él. Se accede a *Shen* por medio de una inteligencia intuitiva, es una revelación que le viene al hombre al haber puesto de lado los concatenados anillos del pensamiento discursivo. Por lo tanto, *Shen* solo se hace evidente cuando el pensamiento descansa y hay silencio, del mismo modo que solo advertimos el Sol cuando se han despejado las nubes. *Shen* determina la calidad de la conciencia y su manifestación clínica es visible en el brillo de los ojos, las ventanas del espíritu.

El corazón tiene un lenguaje de murmullos muy etéreos, por lo cual se necesitan condiciones contemplativas para dialogar con él. De no ser así, las intangibles raíces que atan al hombre a su corazón se empiezan a diluir.

Los aborígenes que viven como nómadas en el desierto sudafricano tienen la peculiar costumbre de dividirse en grupos. Cada cierto tiempo los niños y las mujeres se apartan de los hombres que salen a cazar. Antes de extraviarse en su trashumante peregrinaje, ellos acuerdan el reencuentro y la cita será un día fijado según las fases lunares.

Lo interesante de la historia es cómo logran reunirse estos grupos que parten en direcciones desiguales. Se dice que los hombres en la noche se sientan alrededor de una fogata y taciturnos empiezan a escuchar el latido de su corazón. Después de quedarse hipnotizados con este ritmo, practican lo que han llamado "escuchar el viento del corazón". Y es que, después de un tiempo, en el pecho sopla un viento en una dirección determinada. Al amanecer el nómada marcha en la dirección señalada por su compás interno. Como es de suponer, los hombres se reencuentran con las mujeres y los niños, y lo hacen por medio del corazón.

La mente siempre está verbalizando, vemos una flor y la verbalizamos. Las palabras, así, entorpecen la vivencia de la experiencia. Cualquier situación que se presenta la infestamos de lenguaje; estos laberintos lingüísticos son como murmullos mentales llenos de actitudes negativas sin lugar a salida o solución. Meditar con el corazón significa vivir sin palabras, vivir en forma no lingüística. Debemos ser capaces de conectar y desconectar el mecanismo de verbalización.

Si hay dos amantes que no paran de hablar quizá sea porque el amor entre ellos ha muerto. Cuando hay un profundo amor entre dos personas, hay muchísimo que decirse pero esto se hace sin palabras, y cuando tratan de ponerlo en palabras no pueden, el aire que los rodea no se puede quebrantar con sonidos inoportunos. Para palpar los fluidos en los que están suspendidos e insinuar amores incorpóreos, ponen de lado las palabras y sintonizan con el silencio de sus ojos.

Para acceder al corazón no hay que abrir ningún camino, tampoco aprender nada ni agregar cosa alguna. Es un proceso negativo, solo hay que eliminar lo que le fue agregado. El primer paso para alcanzar la mente meditativa es ser consciente del ruido interno y luego prescindir de él.

Mientras más despierto está el hombre, más lento marcha el proceso mental, mayores son los poderes de observación, más se perciben las brechas de silencio entre un pensamiento y otro, con lo cual se posibilita una mejor perspectiva. Una vez que se conoce esta brecha de silencio, hay una paz profunda y transformadora. Con la vigilancia y la atención de cada momento del día, de modo natural y espontáneo se ahuyentan las ansiedades.

Cuando el hombre no vive descascarando sus riquezas interiores y no está despejado el camino al corazón, vegeta errático en inservibles ocupaciones o en automatismo laboral. Durante el día, el trabajo es una rutina. La persona se olvida de sí, su conciencia personal se une a otras conciencias ajenas y se ofusca su individualidad.

La educación que les damos a los niños está orientada a esculpirlos y formarlos como una obra de arte de los padres y/o educadores, pero no siempre se considera la naturaleza de la semilla que vive en ellos. Solo deberíamos abrir el espacio para que florezca lo que está intrínseco en el niño, sin añadir o exigir nada. El niño debe tomar conciencia de su singularidad, de su mito.

Pero la dialéctica de los sentimientos del universo de los adultos crea una ruptura en el mundo infantil. Un rígido sistema educativo y una ciega inmersión en lo académico anquilosan el corazón del niño y por ello su potencial y talento está destinado a fracasar.

En el corazón vive este sano volcán de carne y sangre, pleno de calidez humana y de nobles afectos. Pero hemos dicho que el calor que reside en el corazón se vuelve tóxico cuando el mismo ha sido bloqueado y vive dentro de estrechas limitaciones autoimpuestas. Del calor humano pasamos al calor de la ansiedad. El corazón se puede volver una humeante olla a presión. Ahora ya no son calores de amor y ternura sino de acorraladas fermentaciones pectorales.

¿Esta "olla a presión" no traerá comprimidas enfermedades como, por ejemplo, la hipertensión arterial? ¿O asfixiantes guisos de manteca y sangre como las enfermedades coronarias?

La expresión *angina pectoris* se traduce como pecho angosto, y de la palabra "angosto" obtenemos la palabra "angustia". La angina, ¿no será el resultado de sentir las murallas que estrujan al hombre, producto de una estrechez emocional que encarcela su ser?

La dieta juega un rol crítico en estos síndromes. Si a estos factores emocionales les sumamos una dosis diaria de grasas que se consumen en la dieta, tendremos doblemente acrecentadas las fuerzas que aglutinan al corazón. La alimentación del cuerpo y la alimentación de la conciencia son una unidad indivisible (ambas se nutren en recíproca conspiración). Si las grasas se impregnan en el corazón y debido a un río de conciencia agitado hay calor, tendremos entonces un chicharrón de carnes quemadas y pocas fuerzas para vivir, además de una mazamorra mental. La felicidad y el entusiasmo del corazón se vuelven metas imposibles. Se pierde el gozo al habitar y latir en esta mermelada o viscoso océano de grasas, hay ansiedad, la razón se aleja y se nubla la percepción de la realidad.

No quisiera extenderme en criticar la dieta y el apetito del hombre moderno pero sabemos que estos problemas se desprenden del consumo de las grasas saturadas del mundo animal, los aceites vegetales refinados, las margarinas hidrogenadas y los azúcares que, en general, comparten la culpa de estas condiciones.

El colesterol no existe en el reino vegetal, sin embargo nos venden margarinas y aceites vegetales con cero colesterol, como si esto fuera un gran logro. A pesar de todo, los estudios últimos nos dicen que las margarinas aumentan el colesterol tanto o más que las grasas saturadas. Debido a los procesos de hidrogenación, las margarinas son químicamente más cercanas al mundo de los hidrocarburos y el petróleo que al mundo de los aceites vegetales. De allí su alias "Frankenstein en la nevera".

La medicina oriental describe una buena variedad de síndromes del corazón, que detallan con mucha agudeza y profundidad su naturaleza orgánica y energética.

ALGUNOS SÍNDROMES DEL CORAZÓN

- Deficiencia de *qi* del corazón
- Deficiencia *yang* del corazón
- Deficiencia de sangre del corazón
- Deficiencia *yin* del corazón
- Estancamiento de la sangre en el corazón
- Fuego llameante en el corazón
- Colapso *yang* del corazón
- Flema enturbia la mente
- Flema caliente en el corazón

El último síndrome anotado en el recuadro, flema o grasa caliente en el corazón, al que también se le ha llamado "El fuego y la flema hostigan al corazón", es el que nos interesa en esta discusión. Algunos de sus síntomas son los siguientes: la lengua se presenta como cuerpo rojo, con gruesa saburra amarilla, rajadura longitudinal en el centro; la punta está más inflamada y enrojecida, con puntitos rojos; el pulso es fuerte, rápido y resbaladizo o rebalsante y cordado; los ojos están enrojecidos, la punta superior de la oreja está roja, se siente calor en el esternón.

COMPORTAMIENTO DE PERSONA CON SÍNDROME DE FLEMA CALIENTE EN EL CORAZÓN

- Inquietud mental
- Lenguaje incoherente
- Confusión mental
- Comportamiento exaltado
- Irritabilidad
- Carcajadas o llantos descontrolados
- Depresión mental y letargo
- Sabor amargo en la saliva
- Palpitaciones, opresión en el pecho
- Sueño alterado, movimientos nocturnos
- Ansiedad
- En casos severos, afasia y coma

El corazón, ante las influencias dietéticas comentadas arriba, tiene unas interesantes aunque lamentables características. Debido al poco juicio de su apetito y al agitado discurrir de su conciencia, ciertos individuos han procreado un corazón de carne grasosa. Han procreado un mundo de confusión, incesantes preocupaciones e insomnios. Su pensar es impulsado por una oculta combustión interna.

En casos severos estas condiciones terminan en la demencia, pero igualmente pueden coexistir con bastante disimulo y diplomacia en amplios sectores de la sociedad considerados sensatos y lúcidos. En secreto, sin embargo, se padecen las grotescas consecuencias, producto de la obesidad del corazón.

Se ha sugerido y comprobado que estos síndromes son de común hallazgo en los sujetos diagnosticados como maniacodepresivos, quienes, alternativamente, vegetan en un mar de legañas y modorra y luego pasan a los incendiados delirios de sus episodios maniacos.

El león también transita entre la somnolencia y el sopor, que ocupan la mayor parte de su vida, y la voracidad de una caza. Los felinos carnívoros se alimentan exclusivamente de grasas saturadas. No sabemos si los leones son maniacodepresivos, pero quizá la grasa animal animaliza su ánima, su comportamiento es reflejo de su dieta. Aristóteles, en sus estudios de biología, instituyó la palabra "animal" para señalar la presencia de alma o ánima en estas especies.

Estas condiciones pasan absolutamente inadvertidas para la medicina ortodoxa moderna. El costosísimo arsenal de equipos médicos de última tecnología no hace nada por hallar y menos resolver estos casos. Tampoco puede colaborar mucho el psiquiatra con sus fármacos de última generación, porque no diagnostica o acaso sospecha lo descrito. El psiquiatra no establece la conexión natural y elemental entre su paciente y la dieta que lo sustenta. Jamás interroga sobre la dieta porque no es una variable que vaya a considerar y menos modificar.

En vez de prescribir antidepresivos y somníferos como Valium, Rivotril, Prozac o Rohypnol, se debería empezar por moderar el salami, el churrasco, la mayonesa y el pollo nuestro de cada día, además de enseñar disciplinas de meditación, relajamiento y paz mental. Los ansiolíticos son tan o más difundidos que las drogas prescritas, ambos financian gigantescos emporios de dinero y están destinados a anestesiar el sufrimiento del hombre. Cabe preguntarnos, ¿hay diferencias significativas entre ellos? ¿No son los dos admisiblemente reconocidos como nocivos al organismo, promotores o culpables de dependencia? ¿No comparten los dos la misma categoría de blanquear sepulcros, mientras que en algún lugar de la mente todo queda inalterado? Aunque sabemos que los ansiolíticos son necesarios en ciertos casos, nadie en su sano juicio puede concluir que el Lexotán, o el opio, son la solución a sus angustias.

Se ha establecido que las enfermedades del corazón son la primera causa de mortalidad en el mundo. A esto se le podría añadir que, entre aquellos que aún habitan sobre la tierra, las enfermedades del corazón son la primera causa de ansiedad, sufrimiento y miseria humana. Como dato interesante debe observarse que los pacientes con depresión severa tienen una triplicada tasa de mortalidad cardiaca y los pacientes con ansiedad tienen cuatro y media veces mayor riesgo de infarto al corazón.

Las personas que padecen síndrome de Down tienen un doble cromosoma en el par 21 y, por lo tanto, una sobreexpresión de los genes presentes en ese cromosoma que les da una fisiología característica. Les confiere una incrementada peroxidación lípida, que quiere decir mayor índice de oxidación de grasas que luego se adhieren al corazón. La medicina china ha señalado, hace miles de años, que en el síndrome de Down hay presencia de flema enturbiando el corazón. Paralelamente, la ciencia moderna prescribe una dieta muy rica en antioxidantes para estas personas. Estudios intrauterinos demuestran que los fetos Down tienen un incremento de 36% de peroxidación lípida en el cuerpo, incluyendo la corteza cerebral. Podemos hacernos la pregunta, ¿un incremento en la peroxidación lípida no tendrá también efectos psicológicos en sujetos sin el síndrome de Down?

¿CÓMO SE ADHIEREN LAS GRASAS AL CORAZÓN Y LAS ARTERIAS?

Durante años la principal estrategia para tratar las enfermedades del corazón ha estado enfocada en reducir los niveles de colesterol, en particular el de baja densidad LDL. Cuando el colesterol LDL se oxida, daña las paredes internas de las arterias y así depósitos grasos y minerales se adhieren a ellas restringiendo la circulación de la sangre. Por lo tanto, hay dos pasos muy importantes: reducir los niveles de colesterol y prevenir la oxidación del mismo.

La arteriosclerosis comienza en el endotelio de las paredes arteriales. Este tejido delicado es el talón de Aquiles de la circulación, solo tiene el grosor de una capa de células y es muy vulnerable a lesiones. El sistema cardiovascular de un adulto tiene una superficie de 5 000 m^2 y se le puede considerar como un órgano. La integridad de esta superficie está amenazada por la potencial oxidación de materias grasas.

La membrana del endotelio arterial, al ser lesionada, ya sea por radicales libres, toxinas irritantes, oxidación de lípidos, angioplastía o desbalance de nutrientes, dejará una brecha pequeña que permite la entrada del LDL oxidado en la pared arterial. La pared subendotelial expuesta es pegajosa; al tener la lesión, los leucocitos se acercan y se adhieren a la zona, iniciando un foco inflamatorio. Luego sigue una cascada de reacciones químicas y se crea una lesión arterosclerótica.

Lesión arterial por grasas dañinas

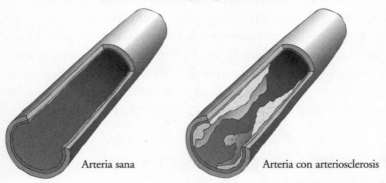

Arteria sana   Arteria con arteriosclerosis

El daño causado por la oxidación del colesterol es la columna vertebral de los problemas del corazón, conduce al deterioro de las paredes arteriales y a la formación de placas arteroscleróticas. Estos depósitos contienen colesterol, calcio, grasas duras y oxidadas, proteínas y fibrinógeno. Por lo tanto, es crucial evitar la oxidación de las grasas por medio de sustancias con actividad antioxidante.

Las principales fuentes de comidas oxidantes son: aceites para freír, productos de carnes, leche en polvo, margarina, mantequilla y cualquier comida con grasa rancia.

Los ácidos grasos insaturados de cadena larga, como omega 3 y 6 (semillas oleaginosas) y DHA y EPA (aceites de pescado), protegen la pared arterial, dando fluidez a las membranas, desengomando las arterias y bajando el colesterol. Las grasas insaturadas son líquidas y polares, por lo tanto se repelen entre sí; las grasas saturadas son sólidas y aglutinantes. La cohesividad de las grasas saturadas es causa de coágulos, ateromas y obesidad.

PROTEÍNAS Y ENFERMEDADES DEL CORAZÓN

Existe un poderoso factor de riesgo para padecer las enfermedades cardiovasculares, independiente de las grasas de la dieta. Se ha establecido con suficiente evidencia que la homocisteína tiene un rol protagónico en las enfermedades del corazón. La homocisteína es un residuo metabólico de la metionina, un aminoácido esencial que se encuentra sobre todo en la carne roja y los productos lácteos. En pequeñas proporciones no representa problema pero si la homocisteína se acumula a niveles tóxicos, degenera las arterias. El 30% de pacientes con enfermedades cardiacas tiene niveles altos de homocisteína. Esta se acumula debido a una falta de vitaminas B6, B12, B9 y C, que impide su conversión natural a otro aminoácido más inofensivo. El doctor McCully de la Universidad de Harvard argumenta que las dietas ricas en proteínas, más que las grasas y el colesterol, son la causa primaria de enfermedades del corazón.[23] Los niveles de homocisteína son reducidos significativamente al tomar suplementos con vitamina B6, B12 y B9.

 ## CONSEJOS SALUDABLES PARA EVITAR PROBLEMAS CARDIOVASCULARES

Antioxidantes

Existe mucho temor entre la población sobre los niveles de colesterol altos pero, contrario a la creencia popular, podemos tener el colesterol alto, bastante más alto de los niveles normales, y mostrar una buena salud cardiovascular, sin formación de placas en las arterias, esto es siempre y cuando el colesterol no se oxide, y esto se logra debido a la existencia de abundantes antioxidantes, adicionalmente se deben evitar en la dieta las grasas

---

23 Burton Goldenberg. *Heart Disease.*

rancias y frituras, ya que son grasas oxidadas. Algunos ejemplos de antioxidantes son los siguientes:

Vitamina E: Es uno de los micronutrientes más importantes para prevenir la oxidación del colesterol LDL. La vitamina se inserta en las capas externas del colesterol y se sacrifica ante la presencia de radicales de oxígeno, de esta manera evita el daño de la peroxidación del colesterol. Paralelamente, la vitamina E tiene un efecto reductor del colesterol. En las semillas oleaginosas donde existe aceite natural generalmente abunda vitamina E natural para proteger el aceite de daño oxidativo. Esta vitamina está presente en la semilla oleaginosa pero no en la extracción líquida del aceite.

Un estudio de 39 910 hombres entre 40 y 75 años demostró que, con una dosis pequeña de 60 iu, se redujo el riesgo de enfermedades del corazón en un 36%. 400 iu parece ser la dosis mínima necesaria, sin embargo con 800 iu hay una duplicada reducción de oxidación de colesterol LDL.[24]

Abunda en oleaginosas como semillas de girasol,
ajonjolí y germen de trigo.

Vitamina C: Hay estudios que comprueban el efecto positivo de la vitamina C en las enfermedades del corazón. Esta vitamina ayuda a reciclar la importante vitamina E, y además promueve la integridad vascular, reduce su permeabilidad y estabiliza las paredes vasculares.

Abunda en las frutas y en las verduras verdes.

Betacaroteno: Al igual que la vitamina E, se asocia con el colesterol y previene la oxidación del mismo.

Algunas fuentes importantes son: zanahoria, camote,
mango, espinaca, melón, durazno, berros, brócoli.

Selenio: Otro mineral con poderosa actividad antioxidante. Al incubar selenio en las células se demostró una mayor resistencia a la oxidación.

---

24 Idem.

Abunda en el atún, las ostras, el arroz integral y el germen de trigo. La mejor fuente es la nuez del Brasil y los cultivos cercanos a la ceniza de zonas volcánicas.

Flavonoides: Son un grupo de químicos que se encuentran en ciertas comidas y plantas medicinales y manifiestan poderosa actividad antioxidante. Algunos ejemplos son los glicósidos de la *ginkgo biloba*, o los flavonoides que se encuentran en la cáscara de la uva negra y por lo tanto también en el vino tinto (una noticia poco festiva es que no es el vino el que protege el corazón, sino los antioxidantes de la uva). Muchas de las fuentes principales contienen pigmentos oscuros debido a que contienen flavonoides de antocianina.

Los encontramos en el maíz morado, uvas negras, fresas y frejoles negros. Otras fuentes de flavonoides son la manzana, pera, durazno, cebolla y perejil.

Coenzima Q10: Su importante rol en la salud cardiovascular reside en su actividad antioxidante y sus efectos en la producción de energía en las mitocondrias, las cámaras de combustible para el corazón. Es una enzima producida por el hígado, pero con la edad y con el desgaste hepático los niveles disminuyen considerablemente.

Un medicamento muy difundido, utilizado para bajar el colesterol, el Mevacor, tiene el inconveniente de disminuir los niveles de coenzima Q10. Debe saberse que, más importante que bajar el colesterol, es prevenir la oxidación del mismo.

Fuentes importantes son la carne, pescado, soya, trucha, ajonjolí y pistacho.

Ajo: La principal razón por la que el ajo es un arma efectiva para combatir las enfermedades del corazón es la abundancia de antioxidantes que contiene. El ajo posee por lo menos quince antioxidantes diferentes que neutralizan a los agresores arteriales. El ajo frena el taponamiento de las arterias y además puede revertir el daño de las que están lesionadas.

Grasas omega 3: Toda la familia de las grasas omega 3, las cuales incluyen DHA, EPA y el ácido linolénico, estabilizan las células del corazón y lo hacen afectando estructuras cruciales como son los canales de iones presentes en las membranas celulares. Las membranas celulares son una bicapa de fosfolípidos y su eficiencia depende de la composición de sus grasas, dentro de estas membranas están los canales de iones de calcio, sodio y potasio. El flujo de intercambio de estos iones es rigurosamente regulado por las membranas y determina la actividad eléctrica de cada célula y esto a su vez determina la actividad de la red de sistemas eléctricos que coordinan un efectivo bombeo del corazón. Cuando falla la actividad eléctrica del corazón tenemos la arritmia e infartos al corazón.

Numerosos estudios indican que las grasas omega 3 modestamente ayudan a bajar la presión arterial, bajan los triglicéridos, reducen el LDL o colesterol malo, todos los cuales son adicionalmente grandes causales de las enfermedades cardiacas. Además, el omega 3 reduce el riesgo de ataque al corazón entre un 20 y un 40%.[25]

Abunda en la linaza, el sacha inchi, la semilla de calabaza, la soya, la nuez.

Aceites de pescado y el sistema cardiovascular

El pescado es considerado como un remedio universal para el corazón y para las arterias despejadas. Un estudio de 6000 hombres que consumieron grasa marina,[26] 30 g de pescado de carne roja al día, reveló que tenían 36% menos probabilidades de padecer un infarto al corazón.

Ciertos investigadores daneses hicieron estudios en arterias de cadáveres.[27] Tomando biopsias de tejido adiposo presente en las

---

25 Andrew Stoll. *The Omega 3 Connection*.

26 I. Bairati. "Double blind, randomized, controlled trial of fish oil supplements in prevention of recurrence of stenosis after coronary angioplasty".

27 M.L. Burr. "Effects of changes in fat, fish, and fiber intakes on death and myocardial reinfarction: diet and reinfarction trial (Dart)".

arterias, se determinó cuánto pescado habían consumido por el contenido de aceites omega 3. El resultado fue que las arterias más limpias, lisas y de mayor calibre fueron las que contenían mayor contenido de omega 3, y las más obstruidas fueron las de menor cantidad de estos aceites.

Hay estudios que señalan que los pacientes que han sufrido un ataque cardiaco y son consumidores de omega 3, comparativamente tienen mejor protección cardiovascular que los pacientes que redujeron las grasas saturadas y que aquellos que incrementaron la fibra en sus dietas. Los pescados útiles a este propósito son los de agua fría, generalmente de carne roja, como por ejemplo: el jurel, la caballa, el bonito, el salmón, la trucha y la sardina.

MANERAS EN QUE EL ACEITE DE PESCADO ACTÚA SOBRE EL SISTEMA CARDIOVASCULAR

- Bloquea el proceso de agregación plaquetaria
- Reduce la contracción de los vasos sanguíneos
- Aumenta la circulación de la sangre
- Reduce los niveles de fibrinógeno, que es un factor coagulante
- Aumenta la actividad fibrinolítica, disolvente de coágulos
- Reduce los triglicéridos
- Eleva el colesterol bueno, es decir, las lipoproteínas de alta densidad
- Mejora la flexibilidad de las membranas celulares
- Reduce la presión arterial

Semillas oleaginosas

Se dice que el corazón es un sol en miniatura. El girasol y la linaza traen en sus aceites las esencias más elegantes de este astro. Por su color dorado o por su imantación y gravitación hacia el sol nos dan una condensación de luz. Son semillas muy ricas en vitamina E y en ácidos grasos poliinsaturados.

El aceite de linaza, combinado con la lecitina de soya, forma una lipoproteína de alta densidad (HDL) que retira las placas de grasa de las paredes arteriales y deshace el colesterol, ayudando al metabolismo de grasas en general. Esta mezcla aumenta la tensión eléctrica de las membranas celulares, haciéndolas más permeables al oxígeno.

Podemos concluir que mucho se puede hacer sin recurrir a fármacos para bajar la presión arterial, adelgazar la sangre o reducir el colesterol. Hemos expuesto el espíritu contemplativo y el entusiasmo enamorado del corazón, contrastado con vulgares consecuencias de la grasa y el calor. En nuestras manos está nuestro núcleo, nosotros forjamos la carne y el latido espiritual de nuestro corazón.

CAPÍTULO SEIS

Grasas del bazo-páncreas

El sabor no es más que la manifestación externa
de la naturaleza interna del alimento.

Su Wen, Huang Di Nei Jing
(Clásico del Emperador Amarillo de
medicina interna)

L a medicina china establece que el hombre tiene una constitución adquirida y otra heredada. Esta última nos es dada
por nuestros padres y va a quedar fijada y almacenada en los riñones; la constitución adquirida, por su parte, va a depender de
la dieta que siga el individuo. Mientras que los riñones son el
centro de la energía prenatal, el bazo lo es de la energía postnatal. Es decir, por medio del juicio que apliquemos a nuestra alimentación se "adquiere" la constitución adquirida.

En medicina existen numerosos síndromes que involucran la
flema; toda vez que haya presencia de esta, habrá que pensar en
el bazo. Así como el pulmón es un depósito de la flema, el bazo
es la fuente que la provee. El bazo *yin* se refiere a las funciones
nutritivas de la alimentación; el bazo *yang* se refiere a las funciones de transporte y transformación de alimentos, lo que en
términos modernos se conoce como el catabolismo. El bazo-
páncreas gobierna la sangre, la digestión, el tejido adiposo, los
ovarios y la fuerza centrípeta que mantiene la sangre dentro de
las arterias. Debe observarse que cuando se habla del bazo en
medicina china se está haciendo referencia tácita a las funcio-

nes tanto del bazo como del páncreas, y se le llama comúnmente bazo-páncreas.

¿CÓMO EVITAR LA ACUMULACIÓN DE FLEMA Y GRASA?

Ocurre con frecuencia que muchas personas, en especial las mujeres, impulsadas por el deseo de controlar el peso, deciden alimentarse con comidas ligeras y bajas en calorías. El almuerzo "dietético" quizá sea un yogurt, un sándwich de queso fresco, una ensalada y luego una manzana. Aunque esta comida es baja calóricamente, tiene el inconveniente de ser muy fría y altamente mucogénica. Tanto el frío como la humedad dañan el bazo; un prolongado consumo de estos alimentos hará que el aparato digestivo acabe convirtiéndose en una fría mazamorra carente de poder digestivo metabólico.

Tenemos que pensar en el sistema digestivo como en un músculo fisiológico que, como tal, es susceptible de debilitarse o fortalecerse. Este músculo debe cumplir las funciones de metabolización y conversión de las partículas grandes en partículas diminutas (catabolismo), de las proteínas en aminoácidos, de los carbohidratos en glucosa y de las grasas en ácidos grasos libres.

Para que este proceso de catabolismo pueda llevarse a cabo se requieren ciertas condiciones. En primer lugar, los textos clásicos de medicina china —como el *Su Wen*, en el capítulo 23— nos dicen que el estómago gusta de la humedad, ya que lo húmedo y lo líquido son necesarios para que ocurran sus procesos de fermentación, maceración y transformación. Por otro lado, la contraparte del estómago es la víscera *yin*, el bazo, el cual le teme a la humedad. El bazo está enraizado en la tierra y gusta de la sequedad, aunque esta no debe ser excesiva. El bazo le teme a la humedad porque esta bloquea la circulación. Si predomina la humedad o la flema, el bazo no podrá llevar a cabo sus funciones de transformación, transporte y distribución. Entonces en el tejido blando se originan la flacidez, la viscosidad, el edema y la congestión. Por ejemplo, el yogurt —que con tanta frecuencia se utiliza en las dietas adelgazadoras— tiene bajas calorías y bajo índice glicémico, pero es demasiado húmedo y frío, por lo que un prolongado consumo de estas comidas húmedas puede debilitar nuestro metabolismo. Muchas teorías de nutrición consideran la composición química de la comida pero omiten considerar la composición fisiológica del sujeto que va a tomarlas.

Entre las funciones del bazo está la de controlar los ritmos biológicos del cuerpo. En medicina china los ovarios corresponden al bazo y un periodo menstrual irregular, entre otros factores, es atribuido al bazo-páncreas, algo que la medicina moderna corrobora con las recientes investigaciones sobre resistencia insulínica y su efecto poliquístico sobre el ovario.

El bazo también regula otros ritmos importantes, como el sueño y la vigilia, al igual que los ritmos metabólicos de la alimentación. El ritmo metabólico está asociado con la fuerza de voluntad, uno determina al otro. Cuando nace un bebé, la madre suele alimentarlo según los llantos que tenga, pero pasadas las primeras semanas, la intuición de ciertas mujeres hará que lenta y naturalmente el bebé sea conducido a un horario de alimentación. Para el mundo desordenado del recién nacido, esto hace que sus entrañas entren en un proceso cíclico de descanso y esfuerzo metabólico, lo cual va a estructurar su tiempo interior y exterior y a conferirle cierta seguridad emocional; la psique también se amolda a este ritmo musical de sus entrañas y así quedan sembradas las semillas para una futura sólida fuerza de voluntad. Lo mismo ocurre con el adulto: comer en horarios irregulares acabará por desorganizar la digestión y debilitar el metabolismo.

Hay que pensar en el músculo digestivo como en los pistones de una máquina a vapor, donde tras cada golpe se produce una relajación y entre cada golpe está marcado cierto tiempo.

Un tercer aspecto para considerar es el de la temperatura del alimento. Existen dos categorías, la primera es la temperatura física del mismo: la cena preferiblemente debe estar humeando cuando la tengamos al frente. El otro aspecto se refiere a la temperatura intrínseca del alimento. Por ejemplo, la manzana, el pepino y la lechuga son de naturaleza fría, mientras que el jengibre y la canela son calientes. Debido a que el bazo realiza funciones dinámicas, de transporte y transformación, necesita de calor energético para realizar sus funciones. El consumo prolongado de alimentos fríos debilita el metabolismo. Sin embargo, una ensalada fría al lado de un plato caliente no hará que la digestión se torne perezosa.

Dentro de la comida existen olores, sabores, aromas y energías que solo están disponibles para aquellas personas que tengan la intención consciente de asimilarlos. En el estómago se asimila la parte física del alimento, las proteínas y los azúcares, pero es en la boca donde asimilaremos la energía de la comida. Además de materia nutritiva, el alimento trae consigo *qi* o energía que el cuerpo también precisa asimilar para nutrir sus cuerpos sutiles, el cuerpo energético. Con el estómago se nutre el cuerpo, con la boca se nutre el alma.

Si vemos a un hombre que engulle desmesuradamente los alimentos, poco podemos esperar de la claridad de su pensamiento; del mismo modo que si vemos a una mujer que come a deshoras tampoco podemos esperar mucho de su equilibrio emocional. La hora de la comida debe ser una oportunidad para meditar, un ejercicio de atención. Se come con la mano izquierda (los zurdos con la diestra), sin responder el teléfono, sin televisión, sin angustias o discusiones y focalizando la mente en todas las sensaciones presentes en la lengua, el esófago o el estómago. Bebiendo los sólidos y masticando los líquidos. Podremos tener una dieta perfecta, con alimentos sanos y naturales, pero si se aspira el arroz y se engluten las verduras, lo que tendremos en el estómago será una masa de materia indigerible y el metabolismo nuevamente se debilitará.

Un grupo de monjes taoístas, tras un prolongado ayuno y silencio, decidió tomar energías con tan solo el aroma de un melón. Sentados en círculo, uno por uno fueron inhalando profundamente el olor de esta fruta, nutriendo todo su cuerpo;

cuando el melón llegó al último de la fila, este puso cara de desconcierto; "¿qué pasa?", le preguntó el maestro, "es que no me han dejado nada", fue su respuesta. Los que saben de aromaterapia conocen el efecto fisiológico y terapéutico de los aromas. Un excelente libro sobre nutrición fue el escrito por Mikhael Aivanvov, *Yoga de la nutrición*; allí no se menciona ninguna receta o comida, tan solo se habla de la filosofía de cómo comer. Uno de los métodos más objetivos de meditación consiste en observar las sensaciones de la nariz, la tráquea y el pulmón, al inhalar y exhalar. Su contraparte son las sensaciones de la boca, el esófago y el estómago, al comer. El sistema respiratorio y digestivo son espacios muy interesantes para observar.

SÍNDROME DE HUMEDAD FRÍA
QUE INVADE EL BAZO-PÁNCREAS

Este síndrome es un cuadro de exceso en que el bazo ha sido invadido por humedad atmosférica fría del exterior y/o el consumo de comidas frías y grasosas. La humedad llena el cuerpo de flema que obstruye el pecho y el abdomen, evitando el natural movimiento de la energía. Esto causa una característica sensación de pesadez y congestión.

El síndrome es una condición que puede ser aguda o crónica. La flema previene que el *yang* ascienda a la cabeza, ocasionándole pesadez. Debido a que el bazo se abre en la boca, afecta el gusto. La flema es pesada y tiende a descender; si esto ocurre se acumula en el vientre y ocasiona, en el caso de la mujer, descenso vaginal. La lengua con saburra es indicadora de frío y de flema, al igual que el pulso resbaladizo y lento. Por lo general, encontramos mala circulación sanguínea, labios pálidos y extremidades frías.

Otros síntomas son hemorragias, várices, púrpura, petequias, prolapsos, edemas, diarreas y anorexia.

Síndrome de humedad fría en el bazo-páncreas

CAUSAS	SÍNTOMAS
• Excesivo consumo de alimentos fríos • Consumo de alimentos mucogénicos como lácteos y azúcares y grasas malas • Nocivos hábitos alimenticios	• Falta de apetito • Pesadez en la cabeza • Lasitud • Falta de sed • Pesadez corporal • Heces blandas y delgadas • Opresión en el pecho y epigastrio

Las comidas que nutren el bazo son de naturaleza dulce, por lo general de color tierra o amarillo; por ejemplo: calabaza, camote, papa, frejoles, maíz, cebada, mijo, nueces, castañas, semillas de girasol, higos, dátiles, melón, papaya, uvas, tofu y canela.

LOS TEJIDOS ADIPOSOS, LA GRASA MARRÓN Y LA GRASA BLANCA

Entre las células grasas (adipocitos) tenemos dos tipos: la grasa blanca y la grasa marrón. Cada una cumple funciones diferentes. La grasa blanca es la que se encuentra formando parte de los principales lugares de almacenamiento de grasa, debajo de la piel. Tiene la función de revestir el cuerpo para guardar calor y a la vez almacenar energía; su excesiva presencia resulta siendo la pesadilla de muchos pues produce un visible sobrepeso. Por otro lado, la grasa marrón, también llamada tejido adiposo pardo, se encuentra en lo profundo del cuerpo, rodeando a vísceras como el riñón, el corazón y otras glándulas; conforma un aislante protector de la columna vertebral y de las principales arterias torácicas. La grasa marrón solo representa el 10%, o menos, de la grasa total almacenada en el cuerpo; sin embargo, consume el 25% de la suma de calorías grasas quemadas por el mismo.

El tejido adiposo marrón es un centro clave para generar calor, quemar el exceso de calorías ingeridas y eliminar las reservas almacenadas en el tejido adiposo blanco. Es un hecho constatado que las personas obesas tienen un tejido adiposo marrón inactivo, durmiente e ineficaz, y eso es lo que explica —entre otras causas— su dificultad para regular el peso.

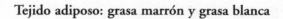

Tejido adiposo: grasa marrón y grasa blanca

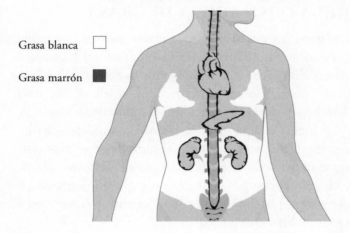

Grasa blanca ☐

Grasa marrón ■

La grasa marrón es metabólicamente muy activa, constituye uno de los principales tejidos termogénicos. Este tejido tiene la habilidad particular de desprender la grasa almacenada bajo la forma de calor. La temperatura de cada uno de nosotros está regulada internamente; se requiere de combustible, proveniente de células grasas, para mantener o elevar nuestra temperatura. En el infante este tejido comprende el 5% del peso total, mientas que en el adulto tal proporción disminuye de modo considerable. Igualmente, este tejido tiene particular importancia en los animales que habitan en zonas frías y en aquellos que hibernan.

La razón por la que la grasa marrón consume tantas calorías es porque se trata de un tejido muy rico en mitocondrias, los organelos citoplasmáticos que se encargan de quemar combustible; la alta concentración de mitocondrias también es lo que le confiere el color pardo. A diferencia de la grasa blanca, este tejido no es de almacenamiento sino que está destinado a la combustión. Esta suerte de motor que quema calorías y desprende calor es el que permite regular el peso, regular el metabolismo de las grasas y evitar que la grasa sea depositada en los tejidos adiposos, eliminando aquella que ya se encuentre empacada y almacenada.

CÓMO ENCENDER LA MÁQUINA QUEMADORA DE GRASA

La grasa marrón fue descubierta por investigadores que realizaban estudios sobre las adaptaciones fisiológicas del hombre a severos cambios climáticos y a prolongados periodos de ayuno. Históricamente, nuestra fisiología acarrea un legado de aversión al frío y al hambre que reta la capacidad de mantener homeostasis térmica y de lograr la supervivencia, de ahí la importancia histórica de la grasa de almacén. Cuando el hombre se ve expuesto a una dieta que lo priva de calorías, adelgazará en el corto plazo, pero luego, cuando el cuerpo vuelva a comer, la fisiología estará preparándose para la próxima hambruna y es entonces un mecanismo experto en almacenar grasa.

La pregunta que aquí tendríamos que responder es cómo facilitar el trabajo de este tejido marrón. En primer lugar, la grasa marrón está sumamente vascularizada —es decir, cuenta con abundante irrigación sanguínea— y es sensible a los cambios que se introduzcan en la dieta. Para que el metabolismo del tejido funcione adecuadamente, el cuerpo tiene que estar absolutamente convencido de que no hay hambrunas ni carencias nutritivas. En segundo lugar, el tejido marrón debe recibir una corriente de nutrientes esenciales para alcanzar un rendimiento óptimo.

Un nutriente clave para este tejido es el ácido gamalinolénico, que es un derivado de la familia omega 6; este ácido graso esencial es la materia prima para producir prostaglandinas, que a su vez inician una combustión de grasas dentro de las millones de mitocondrias del tejido adiposo marrón.

Numerosos estudios de investigación concluyen en señalar que los adultos más delgados son aquellos con mayor proporción de ácidos grasos poliinsaturados en la sangre, comparados con su contraparte de adultos obesos. Se ha dicho anteriormente que la grasa omega 6 no puede ser suministrada de forma aislada y que para conseguir un equilibrio bioquímico paralelamente deben consumirse aceites de la familia omega 3. En resumen, los ácidos grasos esenciales son críticos para promover el ritmo metabólico y para activar el motor quemador de grasas en el tejido adiposo marrón.

Existen otros métodos para activar la grasa marrón, uno de ellos es por medio de hierbas termogénicas; un ejemplo de ellas es la hierba china Ma Huang *(Ephedra sinica)* y el sauce *(Salyx sp.)*. Las células marrones contienen abundantes fibras del sistema nervioso simpático que liberan neurotransmisores y activan la enzima lipasa, que a su vez quema la grasa almacenada en las células inactivas de grasa blanca. La *Ephedra sinica* tiene como ingrediente activo la efedrina, que estimula de modo directo los receptores de las células grasas y se activa así la termogénesis. Estas hierbas aceleran artificialmente el metabolismo, de manera similar a lo que ocurre con las anfetaminas. Su efecto reductor de peso es poco dramático y, aunque son preferibles a las anfetaminas, a largo plazo también alterarán el metabolismo.

LA GRASA COMO ALIMENTO DE LA SACIEDAD

Uno de los grupos alimenticios que contribuye más a darnos la sensación de satisfacción y llenura es la grasa; esta es una de las fuentes de energía más concentradas (nueve calorías por gramo). La presencia de grasa en la mucosa estomacal hace que se libere la hormona colecistoquinina (CCK) del estómago hacia el hipotálamo en el cerebro, indicando saciedad. La función de esta hormona es doble: contraer la vesícula biliar para que se libere la bilis y paralelamente trasmitir mensajes al cerebro. Si este mensaje estomacal no es recibido por el cerebro, es probable que nos sintamos llenos pero no saciados, con el abdomen distendido pero aun así hambrientos e insatisfechos. Sin cierta dosis de grasa en la comida, nos volveremos comensales que apaciguan el hambre con gigantescos volúmenes de comida.

Los que predican el evangelio de la vida sin el pecado de la grasa ignoran que con ella, precisamente, se permiten los procesos naturales de autorregulación interna de muchísimos procesos naturales, entre ellos los de llenura y saciedad.

LA RESISTENCIA INSULÍNICA COMO PRECURSORA DE LA DIABETES Y LA OBESIDAD

En los últimos años hemos venido desplazando lentamente a la grasa, reemplazándola con carbohidratos, los cuales ganan cada día mayor protagonismo en la dieta moderna. La revolución verde ha permitido una mayor disponibilidad de granos como el trigo, el maíz y la cebada. En tiempos prehistóricos, un porcentaje mínimo de la dieta lo constituían los cereales ricos en carbohidratos; cuando aparece la agricultura, los cereales consumidos eran integrales y con un protagonismo mucho menor del que exhiben actualmente.

Las vitaminas, los minerales y las proteínas son nutrientes primordiales para los complejos cambios químicos, pero solo la glucosa provee de energía al cerebro. Asimismo, únicamente el cerebro y el hígado son capaces de disponer de la glucosa libremente y en todo momento; todas las demás células del cuerpo son impermeables a ella, a no ser que la insulina les abra la puerta.

El tipo I de diabético es el que no produce insulina y por ello se le denomina insulinodependiente, pero en el 90 a 95% de casos de diabetes no hay insulinodenpendencia y a ese grupo se le cataloga como diabéticos del tipo II. En estos casos (de tipo II de diabetes), la insulina es liberada después de la comida, pero la diferencia está en que el cuerpo ya no le presta atención, hay una insensibilidad a la insulina, llamada resistencia insulínica.

Los niveles altos de insulina bloquean la quema de grasas y a la vez incrementan el apetito por los carbohidratos, razón por la cual la gran mayoría de diabéticos tienen sobrepeso u obesidad. Durante años las células estuvieron abriendo sus puertas a la glucosa; durante años se abusó de las harinas refinadas y los azúcares: el cuerpo tuvo que arreglárselas como pudo almacenando este exceso bajo la forma de glicógeno y grasa. Ahora las células están saturadas, empalagadas de tanta azúcar; tienen suficiente almacenada como para seguir andando por mucho tiempo. Las células entonces cierran sus puertas y cambian la cerradura, la llave de la insulina ya no sirve para abrirlas. El cuerpo debe entonces llamar a los refuerzos de insulina; el páncreas pasa a secretar más y la sangre se convierte en una densa mermelada de glucosa, insulina y colesterol.

El mundo está cada día más poblado de diabéticos y del precursor silencioso de este mal: la condición conocida como resistencia insulínica. Esta condición subsiste en amplios sectores de la sociedad, sobre todo en aquellos con dificultad para perder peso, hasta que se declara la diabetes.

 ## CONSEJO SALUDABLE PARA PREVENIR LA RESISTENCIA INSULÍNICA

Lo que hay que hacer es incrementar el consumo de alimentos integrales y verduras, no recurrir a una dieta rica en proteína y baja en carbohidratos.

Los nutrientes que incrementan la sensibilidad a la insulina son: el cromo, el magnesio, las vitaminas del complejo B y los ácidos grasos esenciales de la familia omega 3. Dos alimentos clave para combatir la resistencia insulínica son la levadura de cerveza y la linaza. La levadura por su contenido alto de cromo y la linaza por su grasa omega 3. Y dos hierbas importantes son el cuti cuti *(Notholaena nivea)* y la pasuchaca *(Geranium ayabacense sp.)*.

CAPÍTULO SIETE

Grasas y flemas del pulmón

La medicina holística parte de una audaz premisa: "No existe ninguna medicina natural o sintética que cure nada". Cuando meditamos sobre esta afirmación tan iconoclasta podemos quedar desconcertados, quizá con una sensación de extremo nihilismo. La filosofía de la medicina holística pone de cabeza a la medicina ortodoxa. Los medicamentos como antibióticos, antiinflamatorios y analgésicos son ungüentos flotantes y ligeros sobre una herida profunda. Lo que realmente puede curar es transformar el terreno sobre el que se deposita una enfermedad. Ciertas dietas clínicamente dirigidas tienen esta virtud de crear un nuevo ecosistema en el cuerpo.

El pulmón es el órgano más expuesto al exterior y, como tal, el que más padece las consecuencias de enfermedades infecciosas. Niños y adultos están sujetos a continuas enfermedades de las vías respiratorias y como resultado conviven con catarros y mucosidades.

Los antibióticos y las vacunas han sido un avance extraordinario de la ciencia para la humanidad, pero han hecho que enfoquemos la atención en el agente infeccioso y no en el terreno donde este se desarrolla. Es equivocado suponer que una infección respiratoria se deba a un estreptococo o un virus; la pregunta debe ser qué deficiencia o problema existe en el cuerpo que admite la entrada de este ingrato visitante y no cómo se llama el visitante y con qué se lo aniquila.

Las infecciones respiratorias suceden como consecuencia de presentarse un terreno que es favorable a que los microorganismos prosperen. Descubrir los microorganismos ha hecho que los acusemos de nuestra enfermedad, nos ha dado una ideología beligerante contra las bacterias y no una posición más sanamente autocrítica, como cuestionar nuestro hábitat interno. La medicina moderna dirige sus estudios hacia la enfermedad y no hacia la salud, no existen carreras que estudien la salud del hombre, pero sí hay carreras que estudian las enfermedades del hombre, y en medicina moderna entendemos muy poco qué es salud.

Las enfermedades infecciosas viven latentes en casi todos; se ha constatado que un grueso porcentaje de la población tiene el bacilo de la tuberculosis incógnitamente encapsulado en su interior. El bacilo de la tuberculosis espera con infinita paciencia a que su hospedador se descuide. Como una bomba de tiempo, duerme en el cuerpo esperando que el pulmón pase por un periodo de avitaminosis y hambre, o un periodo de gula en el que el cuerpo haya ingerido alimentos desmesuradamente. Cuando se desatiende la alimentación, las defensas disminuyen, se descompone la bioquímica del cuerpo y así florece dichosa toda la microfauna pulmonar.

Si tomamos una bolsa de basura y la desparramamos en cada esquina de una habitación, cubriendo la alfombra con cáscaras de huevo, limones exprimidos, semillas de papaya y tallarines con salsas, pronto llegará el día en que las moscas plaguen el lugar. Cuando estemos suficientemente rodeados por ellas, con vértigos por el mal olor o aturdidos por el zumbido del insecto, llamaremos al técnico fumigador. Lleno de autoridad y ciencia, llegará con su mandil blanco y nos diagnosticará la enfermedad de la mosca, por ejemplo, la *Drosofila melanogaster*. Su prescripción será algo así como el antibiótico Baygon; la suciedad, por otro lado, será ignorada o quizá invisible a sus ojos.

Nuestro sentido común nos dice que, para no mosquearse, recoger la basura y limpiar el espacio sería suficiente: en boca cerrada, no entran moscas y en casas o pulmones limpios, tampoco. Crear basura estéril y aséptica no es la solución, y esto es lo que sucede con el antibiótico. Cuando tomamos un curso de antibióticos se mueren los microorganismos, así el cuerpo ya no reconoce al agente extraño y se desactiva el sistema inmune. Al hacer esto, el cegado sistema inmunológico tampoco limpiará los tejidos de desperdicios remanentes de la guerra bacteriológica, sino que se conformará con haberse librado de la bacteria agresora. Se han observado radiografías de pacientes con sinusitis en las que se empiezan a distinguir nubes y sombras oscuras en las placas radiográficas, producto del regular consumo de antibióticos, estas sombras son el resultado acumulativo de bacterias muertas, flema y mucosidades residuales. Por otra parte, las virulentas consecuencias de un virus son dobles por el virus en sí y por el antibiótico, el cual solo es efectivo para combatir infecciones bacteriales.

FACTOR PATÓGENO RESIDUAL

Una importante patología que se ve mucho en la práctica y que ciertos autores aseguran que se encuentra más difundida que la infección pulmonar misma, es lo que la medicina china ha llamado "factor patógeno residual". Esta condición se desarrolla por cualquiera de estos tres factores: no permitir el reposo necesario durante el curso de la enfermedad misma o trabajar excesivamente estando convaleciente, una constitución débil o un uso indebido de antibióticos.

Cuando contraemos una enfermedad infecciosa, un factor externo, llamado en medicina china *viento*, ataca nuestros niveles más superficiales, el *Wei Qi* o energía defensiva. *Viento,* en este contexto, se refiere a cualquier ataque externo, lo que llamamos en tiempos modernos una enfermedad infecciosa. Aquí tenemos dos posibilidades, el cuerpo expele el viento, en cuyo caso nos recuperamos completamente sin efecto residual o el viento progresa hacia el interior a un nivel más profundo. Si sucede esto último, el paciente externamente parece haberse recuperado, pero queda con calor o flema; estos siniestros residuos son muestras de un factor patógeno residual. Pasan meses y no deja de toser, la sinusitis no lo abandona, carga consigo las cenizas tóxicas de su enfermedad. La causa más común de esta condición es el uso indebido de antibióticos, que matan las bacterias pero no expelen el viento, no disuelven la flema, que a su vez con el tiempo se fermenta formando calor. La flema y el calor son rasgos distintivos del factor patógeno residual y se pueden presentar acompañados de otras manifestaciones.

MANIFESTACIONES DEL FACTOR PATÓGENO RESIDUAL
• Tos crónica
• Sinusitis
• Infecciones crónicas al oído
• Amigdalitis crónica
• Congestión linfática crónica
• Ulceraciones bucales recurrentes
• Diarrea crónica
• Insomnio e inquietud

La palabra técnica para gripe es "influenza" y deriva su nombre de *influenza astrorum*, o "influjo de los astros", un "des-astre" o "contratiempo sideral", que a su vez tiñe la atmósfera de ciertas características meteorológicas. Culturas antiguas, atmosféricamente sensitivas, observaron el efecto del clima sobre la salud y llegaron a la conclusión de que su incidencia es determinante. El agente infeccioso penetra en el organismo transportado dentro de una lanza climática específica que trae consigo, como dardos vivos, sus parásitos climáticos particulares. Es decir, una gripe tiene flagelantes energías que le son propias y que la distinguen de otras, que pueden ser viento, frío, humedad, calor, sequedad, flema o combinaciones de estas.

Paralelamente al cambio estacional de la atmósfera, el cuerpo, en su interior, también transita por esta fase de transformación. Durante el verano nuestra sangre es fluida y superficial, mientras que en invierno la sangre se vierte al interior y es más sólida. Cuando el clima interno corresponde al externo, mantenemos buena salud. El problema ocurre cuando sorpresivamente se adelantan o atrasan las estaciones y el cuerpo no tiene resonancia con estos sucesos; este anacronismo estacional propicia gripes y resfríos. Esto explica por qué la mayoría de resfríos suceden en otoño, las gripes en primavera, y no en invierno o verano, respectivamente.

PROBIÓTICO CONTRA ANTIBIÓTICO

Somos medianamente conscientes del efecto a corto plazo de los antibióticos, pero los efectos a largo plazo son más preocupantes. El uso prolongado de antibióticos, sobre todo los de amplio espectro, nos hace muy vulnerables a infecciones de otras bacterias, hongos y virus. Aparte de los glóbulos blancos, nuestras defensas también las constituye nuestra compleja flora intestinal; si esta se ve alterada, contraatacan otras bacterias forasteras. Una efectiva manera de combatir infecciones es desarrollar un fuerte sistema inmunológico y un correcto balance de bacterias intestinales.

Los nutrientes clave para fortalecer el sistema inmune son las vitaminas A, C, B6, ácidos grasos esenciales y minerales como magnesio y zinc.

ALIMENTOS PARA OBTENER BUENAS BACTERIAS INTESTINALES
• Miso
• Col (yogurt de col)
• Tempe
• Linaza
• Sauerkraut (col fermentada)
• Yogurt vivo

El *British Medical Journal* publicó un interesante estudio hecho con 700 pacientes con dolor e inflamación de garganta.[28] Se dividieron en tres grupos: el primero recibió antibiótico por diez días, al segundo grupo se le suministró antibiótico por tres días y al tercer grupo no se le dio nada, tan solo placebo. El resultado fue que no hubo ninguna diferencia en mejoría, ni tampoco en tiempo de recuperación en los tres grupos.

FLEMA HÚMEDA OBSTRUYE LOS PULMONES

"Flema húmeda" es el nombre técnico del síndrome que, por lo general, viene de infecciones respiratorias recurrentes y una deficiencia *yang* del bazo-páncreas, debido al consumo excesivo de comidas crudas, grasosas y frías.

El síndrome se hace visible con saburra blanca, gruesa y pegajosa en la lengua; así como con un pulso resbaladizo, débil o fino.

ALGUNAS MANIFESTACIONES DEL SÍNDROME DE FLEMA HÚMEDA
• Tos crónica
• Semblante blanco
• Sensación de congestión
• Falta de aire, disnea
• Esputo blanco y profuso
• Congestión en el pecho
• Frío interno
• Incomodidad al reclinarse

Este síndrome es comúnmente visto en la clínica, incluye tos con esputo blanco, sensación de frío en el pecho y la espalda, a veces puede perdurar una tos residual durante largo tiempo. El cuadro está relacionado con la deficiencia del bazo, la medicina china dice que el bazo produce la flema mientras que el pulmón la almacena.

---

28 P. Little. "Open randomized trial of prescribing strategies in managing of sore throat".

Alimentación

Como no podemos desinfectar el planeta y fumigar nuestra sangre tiene insalubres consecuencias, tenemos que desarrollar una juiciosa selección de los alimentos. La flema en el pulmón puede ser producto de un proceso infeccioso, pero generalmente la flema antecede al contagio, y es motivo para que luego los gérmenes proliferen gozando de su microscópico festín.

Algunos alimentos considerados pilares de la salud son particularmente contraindicados en casos de bronquitis y flema al pulmón. En primer lugar, la leche bovina es un alimento altamente mucogénico; por otra parte, la leche es de naturaleza muy fría y los síndromes más comunes en el pulmón son de carácter frío, empezando por el resfrío. El pulmón mismo normalmente mantiene una temperatura baja, alrededor de los 35,5° C. Los quesos, al igual que la leche, son ricos en caseína, una proteína que congestiona tanto el colon como el pulmón (ver "El lado secreto de la leche").

Alimentos generadores de flema son los lácteos, quesos, mermelada, maní, leche de soya, potaje de avena, plátano, naranja, pasteles, azúcares y comida grasosa.

Alimentos que resuelven flema son la pimienta cayena, ajo, cebolla, cebollita china, jengibre fresco o kion, algas, anís, ortiga y almendras.

Los alimentos pungentes son muy útiles para lograr la dispersión de las adhesivas propiedades de la flema. La goma y el engrudo que empañan el pulmón pueden ser cortados con comidas pungentes como: ají, ajo, cebolla, jengibre, rábano rusticano.

Alimentos mucocinéticos (movilizadores de mucosidad)

Capsicina: sustancia picante del *ají*, que se asemeja a la guaifenesina, droga expectorante utilizada en el 75% de los jarabes para la tos.

Aliina: ingrediente activo del *ajo*, en el cuerpo se convierte en una droga semejante a la s-carboximetilcicteína (mucodyne), medicamento para regular el flujo de mucus.

Isotiocianato de alilo: agente químico presente en el *rábano*, con propiedades mucocinéticas.[29]

Quercetina: ingrediente activo de la *cebolla* que tiene propiedades antivirales y antibacteriales.

Antibióticos y antivirales

Echinacea *(Echinacea angustifolia)*: es una hierba primaria que ayuda al cuerpo a eliminar infecciones microbianas; tiene propiedades antibióticas y antivirales. Combate los síntomas del resfrío, septicemia, presenta actividad inmunoestimulante, trata las infecciones crónicas de las vías respiratorias y vías urinarias. Particularmente útil en casos de infecciones respiratorias, laringitis, amigdalitis, catarro y sinusitis.

Los glicosidos de las raíces de la echinacea tienen una moderada actividad contra los *Streptococos* y *Stafilococos aureus*.

Los echinacósidos son los principios activos con mayor actividad antibacterial, entre otros, combaten la *Trichomonas vaginalis* y la *Candida albicans*.

Los polisacáridos que posee la planta estimulan el sistema inmunológico, además de ser antivirales. Activan macrófagos que destruyen tanto las células cancerígenas como los patógenos. Además incrementan la fagocitosis al multiplicar el número de las células blancas.

Otros principios activos de la echinacea han demostrado tener propiedades bacteriostáticas, antitumorales y anestésicas.

Propóleos

Es una forma de resina recolectada por las abejas de cortezas y hojas de árboles. La abeja la combina con polen, néctar y cera para formar una sustancia pegajosa llamada propóleos, que usa como sellante y reparador de aberturas y grietas dentro del colmenar. El propóleos cumple la función de proveer protección antiséptica. Contiene todas las vitaminas excepto la K y catorce de los veinte minerales requeridos por el cuerpo. El pro-

---

29 I. Ziment. "Five thousand years of attacking asthma: an overview".

póleos tiene propiedades naturales antibióticas y antivirales y es una rica fuente de bioflavonoides, los cuales protegen los capilares e incrementan la actividad antioxidante. Igualmente, tiene unos compuestos de tal grado de complejidad que aún no han sido identificados o catalogados.

UTILIDADES DEL PROPÓLEOS
• Tiene propiedades naturales antibióticas y antivirales
• Protege contra alergias
• Asociado a ciertas propiedades anticancerígenas
• Usado extensamente para calmar dolores de garganta
• Protege en caso de infecciones a las vías respiratorias
• Alivia la congestión nasal
• Resuelve resfriados y gripes
• Combate el herpes
• Combate el acné

Hierbas

La flema puede ser resuelta con hierbas pungentes, pero paralelamente a este propósito necesitamos utilizar hierbas con poder bactericida, ya que dentro de un medio viscoso siempre prosperan las infecciones. La flema es de carácter aglutinante mientras que lo pungente es dispersante.

Hierbas recomendadas

NOMBRE	FUNCIÓN
Huira huira *(Calcitium canescens)*	La palabra quechua *huira* se traduce como "grasa". Esta planta tiene propiedades pungentes de calor y es un poderoso expectorante.
Muña muña *(Minthostachys setosa)*	Planta con propiedades antibióticas y antivirales. También tiene propiedades expectorantes y broncodilatadoras.

Nombre	Función
Mullaca *(Muehlenbecka volcanica)*	Planta de sabor muy bien tolerado por los niños. Fortalece el sistema inmunológico. Puede hacerse el agua y añadir limón y miel, y beberse diariamente como limonada caliente.
Asmachilca *(Eupatorium triplinerve)*	Planta con fuertes propiedades broncodilatadoras.
Limón *(Citrus limon)*	Además de tomar el jugo, se hace una infusión de las semillas trituradas y cáscara rallada que actúa fortaleciendo el sistema inmunológico y posee acción antibacteriana.

ÁCIDOS GRASOS ESENCIALES Y ENFERMEDADES DEL PULMÓN

Con el consumo de AGE se transforma, paulatinamente, el terreno del pulmón: pasamos de un órgano cavernoso a uno cristalino e infranqueable. Pasamos del jadeo y la tos convulsiva a la respiración serena y contemplativa.

La idea de que los ácidos grasos esenciales ayudan a las enfermedades del pulmón surgió luego de observar los hábitos alimenticios de los esquimales. El doctor Horrobin, un inglés pionero en investigación de ácidos grasos esenciales, lanzó la hipótesis de que el alto contenido de ácidos grasos omega 3 del pescado en la dieta nórdica era responsable de la baja incidencia de enfermedades pulmonares entre los esquimales. Bioquímicamente esto se explica al conocer que las grasas omega 3 inhiben las sustancias inflamatorias (como los eicosanoides) implicadas en las enfermedades del pulmón.

Por otro lado el doctor Joel Schwartz concluye en uno de sus artículos que hay una buena evidencia de que una alta ingesta de grasas de pescado ayuda a retardar el declive de la capacidad pulmonar, tanto en el caso de fumadores como en el de no fumadores. También señala la evidencia de que un alto consumo de pescado grasoso a largo plazo da resultados positivos en asmáticos adultos.[30] Hay estudios que indican que el consumo de pescado graso fresco protege a los niños del asma y la disnea.

La desventaja del pescado como fuente de omega 3 es el potencial peligro de toxinas peligrosas presentes por los niveles de contaminación del agua. Los pescados son susceptibles de acumular toxinas de metales pesados, pesticidas, mercurio y cadmio, entre otros.

Enfisema y bronquitis

Un grupo de investigadores de la Universidad de Minnesota nos dice que los fumadores que consumen pescado regularmente tienen menor tendencia a desarrollar enfermedades crónicas de los pulmones, como la bronquitis y el enfisema. Se piensa que esto se debe a las grasas de la familia omega 3, eicosapentanoica (EPA) y docosahexanoica (DHA), presentes en el pescado. El estudio involucró a 8 960 pacientes, la mitad fumadores. La conclusión fue que los pacientes que consumieron una alta cantidad de pescado (cuatro porciones a la semana o 480 mg de aceites EPA y DHA) tenían la mitad de riesgo de desarrollar bronquitis crónica, o la tercera parte de riesgo de contraer enfisema, comparados con los que consumían media porción, o menos, de pescado a la semana.[31]

Fibrosis quística

La fibrosis quística es una enfermedad hereditaria que implica en el niño el mal funcionamiento de las glándulas mucosas. Se produce un mucus grueso que tapona los pulmones y deriva en dificultades respiratorias, tos, pecho silbante, infecciones pulmonares recurrentes y falta de peso. En la Universidad de Sidney

---

30 Joel Schwartz. "Role of polyunsaturated fatty acids in lung disease".
31 Eyal Shahar y otros. "Dietary n-3 polyunsaturated fatty acids and smoking-related chronic obstructive pulmonary disease".

se encontró que las grasas de pescado alivian la fibrosis quística. Dieciséis niños con este mal tomaron parte en un experimento en donde la mitad tomó cápsulas de aceite de pescado con 2,7 g de ácido eicosapentanoico y la otra mitad recibió cápsulas placebo con aceite de oliva. Después de seis semanas, el grupo de los aceites de pescado tuvo mucho menos esputo y respiraba con mucha mayor facilidad, presentando mayor volumen de expiración y mayor vitalidad en general.[32]

Asma

La ciencia moderna nos informa sobre los roles destructivos de los químicos, aditivos y preservantes en las comidas, los fármacos, la contaminación. Todos ellos producen estrés oxidativo, junto con otros factores como los virus y las bacterias. El daño ocasionado a nuestras células nos conduce a la inflamación, que es lo que subyace y predomina en la enfermedad conocida como asma.

La materia prima de nuestras células está constituida por minerales, vitaminas, aminoácidos, ácidos grasos y agua, todos los cuales nos ayudan a desarrollar inmunidad y resistencia al medio ambiente. Las grasas esenciales nos ayudan a construir membranas celulares en la forma de compuestos llamados fosfolípidos. Los fosfolípidos determinan la fluidez e integridad de las membranas y establecen muros infranqueables de protección.

El tipo de grasa que se consume en la dieta determina el tipo de fosfolípido presente en la membrana celular. Los fosfolípidos elaborados de grasa saturada o de ácidos grasos trans son significativamente diferentes e inferiores a aquellos elaborados a partir de ácidos grasos esenciales.

Hoy en día se sabe la capacidad que tienen las grasas omega 3 para incorporarse dentro de las membranas de fosfolípidos y así modular la respuesta celular a diferentes estímulos externos, además de influir sobre varios procesos metabólicos. Por ejem-

---

32 R. Lawrence y T. Sorrell. "Eicosapentaenoic acid in cystic fibrosis: evidence of a pathogenetic role for leukotriene B4".

plo, la ingesta de grasas omega 3 reduce la inflamación y coagulación de la sangre. Igualmente, se ha reportado que la asimilación dentro de las membranas celulares de estas grasas así como de vitaminas liposolubles, es bastante rápida y eficiente, incorporándose en plazos cortos de hasta dos horas.

Por otra parte, se sabe que las proporciones cuantitativas entre los ácidos grasos omega 3 y omega 6 juegan un rol crítico en el asma, debido a la proporción de prostaglandinas que desencadenan. Existe evidencia de que una dieta alta en omega 6 puede exacerbar los síntomas del asma. El omega 6 se encuentra en altas concentraciones en aceites vegetales, como el de maíz, algodón y girasol.[33]

Un estudio realizado en Australia, en la Universidad de Sidney, con un muestreo de 574 niños cuyas edades fluctuaban entre 8 y 11 años, dio como resultado que los que consumían regularmente pescado grasoso tenían un riesgo cuatro veces menor de desarrollar asma, comparado con los niños que muy ocasionalmente o nunca consumían pescado. El consumo de pescado blanco no grasoso o pescado enlatado no fue asociado con un reducido riesgo de asma.[34]

Alergia y asma

Buena cantidad de casos de asma son reacciones alérgicas. Lo que sucede es que ciertas sustancias, ajenas a la bioquímica de nuestro cuerpo, han encontrado un espacio adentro de nuestros tejidos celulares. Es decir, los preservantes tóxicos de las carnes y embutidos e insecticidas, entre otros, habitan y son parte de la masa de nuestra carne. Otra variante es que inhalemos polvos irritantes o polen. El sistema inmune reconoce estos elementos sospechosos y desata una cascada de reacciones para derrotar al agente invasor; tan severas son estas reacciones y antagonismos internos que sentimos alergia.

---

33 K. Shane Broughton. "Reduced asthma symptoms with n-3 fatty acid ingestion are related to 5-series leukotriene production".
34 L. Hodge. "Consumption of oily fish and childhood asthma risk".

Un dato curioso es que en los textos antiguos de medicina no hay mención a enfermedades alérgicas. La alergia es una condición moderna y con creciente popularidad.

EL OTOÑO EMOCIONAL DEL PULMÓN Y SU GRASA INTANGIBLE

El sentimiento que empantana al pulmón es la tristeza. La tristeza, la desolación y el apego son emociones que establecen una grasa incorpórea que aflige al pulmón. Un pulmón orgánicamente comprometido por lo general también exhala un aire melancólico.

En la medicina china, tanto el pulmón como el colon pertenecen al otoño, energéticamente representan el final de un ciclo. Ambos trabajan conjuntamente, el pulmón es la entraña *yin* (polo negativo), mientras que el colon es la *yang* (polo positivo). Representan el elemento metal, el final del ciclo, la despedida o la muerte necesaria antes del renacer. Mientras que el hígado es el reverdecer de la primavera y recibe al *Hun* o alma etérea, el pulmón pertenece al otoño y hospeda al *Po*, el alma corpórea o alma instintiva.

Para muchas personas el apego es una fuerza que tiñe la existencia de manera determinante; el apego hace de la vida una biografía que no exhala o libera con facilidad. El asmático tiene dificultad para exhalar, inhala pero no puede exhalar, es propenso a retenerlo todo, no hay un flujo respiratorio entre el dar y recibir. El miedo a exhalar también podría relacionarse con un miedo a inhalar nuevas y desconocidas dinámicas de la vida.

Incurriría en una grosera simplificación al decir que el asma o el estreñimiento devienen de sentimientos de apego. Más exacto será plantear que el asma puede presentarse ante estas influencias; debemos abrir la mente a la posibilidad de que una contracción de los bronquios sea una respuesta análoga a un espasmo similar en algún rincón de la mente o a que la flema del asma también tiene paralelos con una triste mucosidad anímica.

Algunos individuos se quedan atónitos cuando advierten que tienen cáncer al pulmón. No ha existido ninguna advertencia, cómo puede ser si ni siquiera se resfrían y hace meses que no expectoran nada. Cuando hablamos de flema y grasa del pulmón, también nos referimos a la grasa subterránea. En la caverna bronquial hay grasas oscuras, aunque más invisibles, como el cáncer y otras enfermedades degenerativas. La tristeza reprimida, los apegos y ataduras son expresiones de este catarro emocional y la muerte, durante años, ha estado husmeando como un cuervo por estos territorios sin dar el zarpazo final.

En virtud de la naturaleza cambiante de la vida, somos vulnerables a quedarnos adheridos en algún momento de su proceso giratorio. La vida nos ofrece una buena cantidad de escenarios de pérdida. Al nacer, salimos de la madre, nos destetamos, luego hay muertes de seres amados, abandonos, divorcios, infidelidades y rupturas de todo tipo. El proceso no se detiene nunca, el pasado no pasa, es presente, caminamos como sobre un espumoso océano de tristes mermeladas, con los pulmones agobiados, un enjaulado estreñimiento y siempre volviendo los ojos al pasado.

Es fácil descontinuar la comunicación con una persona, pero es difícil que la mente deje de pensar en ella. Una relación concluida en la realidad pero inconclusa en la mente nos puede crear problemas durante toda la vida. Estas redes emocionales que se extienden en el interior se manifiestan en los sueños. También nos delatan cuando irrumpimos en llanto o tristeza al ver a una persona o un evento que nos refiere a una relación concluida. Tan fuertes son las ataduras de las relaciones personales, que ante el dolor y desgarre de la separación ciertas personas pierden la razón y acuden a brujos especialistas en amarrar parejas. Se vive así esclavo de fantasmas íntimos y un triste y elástico engrudo mental se empoza en los pulmones.

Cuando se tiene un buen pulmón, el cuerpo posee tijeras espirituales con las cuales corta lazos con seres odiados o amados. Como cuando caen las hojas amarillas del otoño, el pulmón poda incesantes ramificaciones del hombre que se entretejen en su interior, se deshace y libera de la trama secreta y se expectora el gargajo emocional. Cuando el colon funciona bien, eliminamos todo nuestro pasado con una gran hoguera de celebración y purificación.

Así como el pulmón hace un intercambio selectivo de gases, el colon también separa lo puro de lo impuro con la absorción intestinal. Cuando las personas se autoexaminan, la investigación y el análisis disgregan todas las partes; similar al proceso digestivo, se disuelve todo lo impuro o inferior que hay en el hombre y sanamente se deshace en sus componentes. El hombre, desintegrado y libre de apego, se coagula (reintegra) con la fuerza adquirida en la operación anterior.

CONSEJOS SALUDABLES PARA COMBATIR LAS ENFERMEDADES DEL PULMÓN

Las comidas pungentes están indicadas para la limpieza y la protección del pulmón. Abajo podemos ver algunas recetas que se pueden preparar en casos de acumulación de flema en los pulmones.

Ponche de rábano picante

1 cucharadita de rábano fresco rallado
1 cucharadita de clavos de olor molido
1 cucharadita de miel de abeja

Verter sobre un vaso de agua caliente y beber a sorbos, también se pueden hacer gargarismos.

Jarabe de cebolla para la tos

6   cebollas blancas picadas
1/2 taza de miel de abeja

Poner a cocer en baño María a fuego lento por dos horas y colar. Beber el jarabe tibio regularmente.

✎ Gargarismo de salvia ✎

Hacer una infusión de salvia por 10 minutos.

∽°∽

✎ Picantes ✎

10 gotas de salsa tabasco en un vaso de agua, beber y/o hacer gárgaras

Agregar dientes de ajo a los alimentos

∽°∽

CAPÍTULO OCHO

Grasas
del cáncer

Agua mole pedra dura
Tanto bate ate que fura

E l cáncer es la enfermedad que va a salvar la humanidad, no existe otro mal más relacionado con los problemas de la vida moderna, con la alimentación plena de toxinas, con la alimentación industrial, con los sistemas de cultivo sintéticos. Solo cuando el hombre pueda tomar control de estas prácticas y su efecto sobre la tierra y la salud humana, podrá confrontar esta enfermedad con éxito. El cáncer forzará al hombre a cambiar radicalmente su alimentación, sus métodos de cultivo y producción de alimento, así como su estilo de vida.

Las industrias capitalistas desean un crecimiento económico y expansión a nuevos mercados por conquistar, no siempre considerando el resultado e impacto sobre el todo, similarmente la célula cancerosa desea crecimiento y expansión a nuevos territorios. A ninguno le preocupa lo suficiente el bienestar del todo, ignoran que la vida en la tierra así como la vida en el cuerpo es como un lienzo invisible donde todo está entretejido, interrelacionado. El cáncer forzará a la humanidad a vivir de manera no fragmentada, sin tumores sociales, esta enfermedad obliga al hombre a buscar la integración, la armonía celular dentro del cuerpo y, parejamente, la armonía del hombre con el medio ambiente.

GRASAS TUMORALES Y ANTITUMORALES

Metástasis, crecimientos tumorales y ácidos grasos esenciales

Hoy en día hay métodos de alta tecnología para el tratamiento del cáncer, pero algo más sencillo como la dieta o, específicamente, la calidad de nuestro consumo de grasas, es ignorado o desvalorizado. A pesar de los billones de dólares que se destinan a luchar contra el cáncer, poco se ha logrado en la batalla contra este mal y solo una mínima fracción de ese dinero es destinada a la prevención. Esta enfermedad, una de las más temidas de la sociedad, mantiene una estrecha conexión con la calidad de las grasas que se consumen. En este capítulo vamos a resumir algunas de las investigaciones recientes sobre este tema.

Dos investigadores especializados en el tema de grasas y cáncer, Leonard A. Sauer y Robert Dauchy, del Cancer Research Laboratory, llegaron a la conclusión de que nuestra dieta moderna es una prescripción inequívoca para el crecimiento tumoral.[35]

Sauer y Dauchy tuvieron que resolver un misterio médico al ver que las ratas privadas de alimentos mostraban un crecimiento tumoral más acelerado. Al restringir a las ratas de alimentos, considerando los reconocidos beneficios del ayuno, los investigadores esperaban que el crecimiento tumoral disminuyera, pero la sorpresa fue ver que los tumores crecían cuatro veces más rápido. Cuando el cuerpo siente que está en un estado de privación de alimento, una alarma bioquímica se envía para que las reservas de grasa sean liberadas al torrente sanguíneo, y doce horas más tarde la rata tiene cinco veces más grasa en su

---

35 L.A. Sauer, y R.T. Dauchy. "The effect of Omega 6 and Omega 3 fatty acids on 3h-thymidinen incorporation in hepatoma 7288CTC perfused *in situ*".

sangre que cuando se alimenta normalmente, entonces el tumor, que gusta alimentarse de grasa, engulle un banquete.

En el Instituto de Investigación del Cáncer de París, por medio del microscopio electrónico, han encontrado que la única sustancia que caracteriza las células cancerígenas, en contraste con las células saludables, es grasa aislada, la formación de grasa en el núcleo celular y el citoplasma de la célula. Estas observaciones han hecho pensar que el cáncer podría ser resuelto con sustancias lipolíticas (que disuelven la grasa). Cuando los tejidos vivos rechazan ciertas grasas, el cuerpo las aísla y las deposita en lugares donde normalmente no hay presencia de ellas. La doctora Johanna Budwig hace una afirmación que puede parecer contradictoria, "la grasa puede disolver tumores y la grasa puede engendrar tumores".[36]

A lo largo de los años ha existido una creciente sospecha sobre una correlación entre dietas altas en grasas y el cáncer. Sin embargo, los estudios han dado resultados ambiguos en este respecto; unos muestran que las dietas altas en grasa incrementan el riesgo de cáncer, otros no muestran ninguna correlación. Pero ahora se sabe que los distintos tipos de grasas esenciales tienen diferente efecto sobre el crecimiento tumoral.

Se ha calculado que la proporción óptima de ácidos grasos esenciales debe ser de 4 a 1, es decir, por cada gramo de omega 6 se debe consumir un gramo de omega 3. Lamentablemente, el hombre moderno consume una excesiva relación de 20 a 1, y en algunos casos de 40 a 1. Es decir, nuestro cuerpo está abrumado de grasas omega 6.

La producción comercial de aceites de cocina ha contribuido a que se pierdan las grasas omega 3. Además de añadir grasas tóxicas, que consumimos cándidamente, la industria de aceites no se preocupa de buscar y utilizar fuentes de aceites omega 3. La mayoría de aceites de cocina son ricas fuentes de omega 6, como los de soya, maíz, girasol o algodón. Como regla general, las grasas omega 6 promueven el crecimiento tumoral y las grasas omega 3 lo inhiben.

---

36 Budwig. Op. Cit.

Efecto sobre el cáncer	omega 6	omega 3
Tasa de crecimiento de células precancerosas	Aumenta	Inhibe
Iniciación de nuevos tumores	Aumenta	Inhibe
Velocidad de crecimiento tumoral	Aumenta	Inhibe
Propagación y difusión de tumores	Aumenta	Inhibe

En la industria de alimentos, para estabilizar el aceite son destruidas las conexiones insaturadas, pero son exactamente esas grasas altamente insaturadas las que juegan un rol decisivo en la salud, incluyendo las funciones respiratorias del cuerpo.

Hace treinta años se estableció una correlación estrecha entre el consumo de grasas y el crecimiento tumoral en cáncer de mama. Ratones alimentados con aceite de maíz, que es 56% omega 6, tuvieron un crecimiento tumoral cuatro a cinco veces mayor que los ratones con una dieta libre de grasa. El tumor crece proporcionalmente a la cantidad de aceite de maíz que se suministra.

Más adelante, con mayores investigaciones científicas, se empezó a diferenciar las distintas formas de grasas que ingiere el público y se estableció que no es la cantidad de grasa lo que importa sino el tipo de grasa que se consume. Por ejemplo, se encontró que el aceite de pescado y otras fuentes de omega 3 tienen un efecto inhibidor de tumores. Adicionalmente, se ha encontrado que niveles bajos de omega 3 predicen la severidad de la metástasis. Un incremento de omega 3 prolonga la supervivencia, aumenta la efectividad de la quimioterapia y reduce el impacto negativo de la radioterapia.

Otros estudios recientes han mostrado el efecto de grasas omega 3 derivadas de la semilla de linaza, y del aceite de linaza, sobre otros tipos de cáncer.

Las terapias que impidan difusión de tumores son muy importantes para detener el cáncer; la mayoría de personas no resiste el cáncer porque este coloniza nuevas partes del cuerpo, no por el tumor que ya está presente. Con la linaza tenemos una efectiva manera de detener la metástasis. Una investigación en Francia observó a 120 pacientes con cáncer de mama y concluyó que las mujeres con bajos niveles de omega 3 tienen cinco veces mayor oportunidad de desarrollar metástasis a partir del tumor mamario.[37]

EFECTOS DE LA SUPLEMENTACIÓN DE ACEITE DE LINAZA

- Menor proliferación de células epiteliales de melanoma, de entre 40 y 50%
- Reducción de volumen de tumor, de hasta 50%[38]
- Reducción de la metástasis, de 50 a 64%[39]
- Un positivo efecto antiestrogénico de la linaza: de la mitad o equivalente al tamoxifeno, sin efectos adversos[40]
- Existe un efecto diferenciado entre la linaza pulverizada y el aceite de la misma. La pulverizada es más efectiva como protector de la fase inicial de crecimiento del tumor y el aceite es más efectivo para reducir tumores ya establecidos

¿Cómo detiene la metástasis el ácido graso omega 3?

Para que una célula cancerosa migre de un tumor a otra zona por colonizar, debe adherirse y penetrar duras membranas protectoras que rodean los vasos sanguíneos y órganos. Las grasas omega 3 hacen mucho más difícil la adhesión de células cancerosas a las membranas, bloqueando la expresión de las moléculas de la superficie que proveen los ganchos o espacios de encaje necesarios.[41] Si a pesar de este obstáculo inicial la célula cancerosa

---

37 Budwig. Op. Cit.
38 L.U. Thompson y otros. "Flaxseed and its lignan and oil components reduce mammary tumor growth at a late stage of carcinogenesis".
39 L. Yan y otros. "Dietary flaxseed supplementation and experimental metastasis of melanoma cells in mice".
40 L.J. Orcheson y otros. "Flaxseed and its mammalian lignan precursor cause a lengthening or cessation of estrous cycling in rats".
41 G.L. Johanning. "Modulation of breast cancer cell adhesion by unsaturated fatty acids".

logra adherirse a la membrana, las grasas omega 3 pueden interferir con el siguiente paso bloqueando una enzima llamada colagenasa, que se usa para disolver la membrana y permitir que las células cancerosas penetren esta barrera.[42]

¿Cómo el ácido graso omega 3 combate el cáncer?

Hay varias teorías que explican cómo el omega 3 combate el cáncer. Primero, se ha demostrado que el omega 3 reduce el contenido de omega 6 que el tumor toma de la sangre, negándole este importante nutriente y obstaculizando los efectos promotores del omega 6 de una manera conocida como toma competitiva. Adicionalmente, las grasas omega 3 compiten con las grasas omega 6 por las enzimas necesarias para la creación de metabolitos promotores del cáncer. En tercer lugar, el omega 3 hace que las células cancerosas sean más vulnerables a los ataques de los radicales libres al hacer sus membranas menos saturadas. Una célula cancerosa fallece si padece suficiente daño por acción de radicales libres.[43] Ciertos estudios demuestran que las grasas omega 6 hacen a las células cancerosas inmortales al activar un gen que previene su destrucción automática. En contraste, las grasas omega 3 parecen promover la autodestrucción de las células cancerosas, disminuyendo el crecimiento tumoral.[44]

Por otro lado, las grasas saturadas siempre tienen un efecto adverso. La relación entre el cáncer y las grasas de cadena larga, como las que se encuentran en carnes de animales, ha sido vastamente documentada. Las grasas de cadena larga interfieren con la disponibilidad de oxígeno y fomentan el crecimiento tumoral.

El calor, la hidrogenación, la luz y el oxígeno producen grasas químicamente alteradas que son tóxicas para nuestras células y, por lo tanto, cancerígenas. En la lista de grasas alteradas tene-

---

42 R. Reich y G.R. Martin. "Identification of arachidonic acid pathways required for the invasive and metastatic activity of malignant tumor cells".

43 U. N. Das y D.F. Horrobin. "Polyunsaturated fatty acids augment free radical generation in tumor cells *in vitro*".

44 Artemis Simopoulos y Jo Robinson. *The Omega Diet*.

mos margarinas, mantecas, aceites parcialmente hidrogenados, aceites de frituras, aceites refinados, aceites desodorizados, aceites expuestos a la luz o al oxígeno. Las grasas sanadoras del cáncer son los ácidos grasos frescos, aceites no refinados. Las grasas de la familia omega 3 promueven el aprovechamiento de oxígeno en las células, disminuyen la formación de tumores, previenen la metástasis. Estas grasas se encuentran en la nuez, germen de trigo, canabis y, en especial, en la linaza, que no solo es la fuente natural más rica en estas grasas sino que también su cáscara contiene fitoquímicos anticancerígenos.

El cáncer puede iniciarse con la exposición y/o intoxicación con metales pesados, infecciones virales, hongos, cloro, tóxicos químicos, rayos X, elementos radioactivos, exposición a líneas de alto voltaje u otros tipos de radiación electromagnética, estrés físico o mental, actitudes negativas y factores genéticos. Todo esto es agravado por una insensata selección de alimentos y/o por deficiencias nutricionales. Cualquiera de estas causas, o un conjunto de ellas, crea un trastorno nutricional en el cuerpo, el ritmo metabólico disminuye, se inhibe la absorción de oxígeno, las membranas se vuelven defectuosas, las funciones celulares se desorganizan, la polaridad eléctrica de las células se altera. A la luz de toda la larga lista de causas que se ha comprobado que son cancerígenas, es ingenuo suponer que algún día el hombre va a encontrar la cura para el cáncer, mientras estas variables —internas y externas— estén presentes.

Se ha establecido que una persona que tenga un adecuado consumo de frutas y verduras tiene la mitad de riesgo de contraer cáncer. Esta es una manera garantizada de disminuir el riesgo. Las frutas y verduras contienen vitaminas antioxidantes, pero igualmente tienen fitoquímicos con importantes propiedades antitumorales. Los fitoquímicos de las plantas son un tema de estudio que va a tomar muchos años en ser comprendido; estamos aprendiendo que los mismos químicos que protegen las plantas de virus, bacterias y hongos nos protegen del cáncer. El hecho de que los fitoquímicos contenidos en las frutas y verduras tengan poderosos agentes anticancerígenos explica por qué los estudios de cáncer que utilizan suplementos vitamínicos tienen resultados insatisfactorios. Las pastillas de vitaminas solo contienen una fracción del espectro de bioquímicos que tienen por ofrecer las plantas. Hasta que los investigadores puedan descubrir y encapsular los innumerables fitoquímicos de las plantas, es más sabio consumir la planta misma.

Ahora bien, se ha demostrado que la relajación profunda tiene un efecto positivo sobre los pacientes con cáncer y de hecho aumenta las posibilidades de un buen pronóstico. Si en nuestro cuerpo hay mensajes que están en conflicto, la relajación profunda los disuelve. Gracias a la relajación profunda, todas nuestras células tienen una misma vibración, como si en una orquesta de varios instrumentos, de pronto, todos al unísono tocaran la misma nota musical, del mismo modo todas las células están conectadas y se cohesiona el campo energético. También puede decirse que todas las células ahora tienen el mismo color, como si todos los colores caóticos de las células se uniformizaran en, por ejemplo, un amarillo. Lo que sucede con la relajación profunda, además de atenuar la ansiedad, es que las células empiezan a amistarse, se contagia una misma vibración a todo el cuerpo.

CÁNCER: ENFERMEDAD SISTÉMICA O TUMOR LOCALIZADO

Es equivocado suponer que el cáncer se deba a un proceso biológico misterioso contenido dentro de un tumor y que la ciencia aún no termina de entender. La mayoría de las investigaciones relacionadas con el cáncer ha enfocado sus estudios en los procesos biológicos que ocurren dentro del tumor, mas no en los fenómenos fisiológicos sistémicos del cuerpo. Cuando una persona es derrotada por un cáncer, fallece por un desorden químico sobre la totalidad del cuerpo y no debido al efecto localizado de un tumor. Este desorden químico se presenta antes de que se manifieste tumor alguno. Existen exámenes *post mortem* de pacientes con cáncer que revelan tumores del tamaño de un limón;

sin embargo, debido a que el tumor es la parte visible y palpable de la enfermedad equivocadamente se lo culpa del mal, es decir, tiene un excesivo protagonismo en el escenario y así dejamos de ver la figura global.

Los tumores son la última manifestación de una prolongada enfermedad que afecta todo el organismo. Antes de que un tumor se manifieste debe presentarse un tejido precanceroso por un largo periodo de tiempo y este tejido proviene de medios en donde las células están expuestas a los siguientes factores: primeramente las células no obtienen suficiente oxigenación; en segundo lugar, hay carencia de ciertos nutrientes celulares, una incrementada viscosidad de la sangre y, por ello, mala circulación; por último, es un medio donde abundan elementos tóxicos para la salud de las células.

Este tejido precanceroso generalmente es sujeto a una lesión simple la cual desencadena el cáncer. Cuando el cuerpo es lesionado busca reparar su tejido con la formación de nuevas células y, debido a la emergencia, para que las células se multipliquen más rápidamente, estas se copian en estructuras celulares semejantes a sus etapas embrionarias. Cuando el tejido es sanado, las células retornan a su estado normal postembrionario, pero en casos de lesión sobre tejido precanceroso las células se quedan en sus presentaciones embrionarias, donde hay multiplicación celular descontrolada y ya no es posible revertir a las células normales. La lesión aquí incluye golpes sencillos, debido a traumas, sustancias irritantes como asbestos y humo de cigarrillo. Es curioso observar que el cáncer con mayor frecuencia ocurre en zonas expuestas a continua fricción, como el esófago, los pliegues y flexuras de los intestinos, la garganta.

Para curar el cáncer no es suficiente tratar los tumores localizados; el cuerpo entero debe ser tratado, desintoxicado y nutricionalmente enriquecido para que la enfermedad sea permanentemente eliminada.

CONSEJOS SALUDABLES

Alimentos antitumorales

Sólidos	Frecuencia
Arroz integral con pimiento, brócoli, arvejitas, ajos, etc.	2 platos x día
Garbanzos, frejol oscuro, lentejas quinua, camote	2 veces x semana
Pescado graso: filete pequeño a la plancha	Máximo 1 x semana
Aceite de oliva o sacha inchi extravirgen	En las comidas
Pan 100% de centeno	4 porciones x día
Nueces peladas, almendras crudas, pasas	Todo el día
Harina de kiwicha, verduras verdes crudas (alfalfa, arúgula, perejil), acelga, espinaca, brócoli, germinados	En todas las comidas

Líquidos	Frecuencia
Zanahoria Manzana Brócoli Col Perejil Alfalfa en extracto	1 litro x día en extracto

Algunas sugerencias

- Consuma filete de pescado preferiblemente graso, no más de dos veces por semana, y deje de lado las carnes.
- Evite las grasas de aceites vegetales, mantequillas, quesos, etc.
- Evite los embutidos y alimentos preparados.
- Consuma alimentos naturales u orgánicos en vez de preparados o envasados en latas, cajas o bolsas.
- Para cocinar los alimentos utilice Pirex, en vez de ollas de aluminio.
- Consuma poca sal, solo la indispensable.
- No consuma licor de ningún tipo; media copa de vino tinto sin sulfitos, es lo máximo.
- Evite exponerse a humos, olores químicos, emanaciones de ceras, gasolinas, etc.
- Consuma comidas no condimentadas.
- Evite el consumo de lácteos.
- Consuma miel de buena fuente en vez de azúcar blanca y rubia.
- Evite consumir harinas blancas e integrales, ya que estas últimas están mezcladas con harina blanca. Todas las harinas han sido blanqueadas con sustancias químicas.
- Consumir solo agua de botellones o agua filtrada.
- No utilice enjuagues bucales, ni pasta de dientes con detergente, sacarina o lauril sulfato.
- No consuma huevos de ningún ave.
- Consuma solo el mínimo de proteínas. La razón es que las proteínas son la fuente del crecimiento celular y es justamente ese crecimiento el que debemos mantener en un nivel bajo.
- Evite el consumo de gelatina, ya que es una sustancia netamente química y lleva azúcar.
- Evite los alimentos con colorantes, saborizantes, preservantes, etc.
- Use bloqueador solar si hay exposición al sol.

- Tome mucha agua al día.
- Consuma solo aceite de oliva, linaza y sacha inchi extravirgen.
- Consuma la mitad de los alimentos crudos, es decir, vegetales y frutas en su mayoría. Las verduras deben ser orgánicas.
- Lave las frutas siempre y, preferiblemente, conozca si han sido fumigadas o no.

N. del A. Este capítulo está dedicado a Lyle Legget, quien, debido a su enfermedad y por sus continuas investigaciones nutricionales para luchar contra ella, nos impulsó a escribirlo.

CAPÍTULO NUEVE

La sexualidad y la combustión de grasas

La medicina china considera como sexo fuerte a la mujer y sexo débil al hombre, idea que muchos hombres silenciosamente habrán verificado en la práctica. El varón necesita protegerse de la disipación de la energía sexual, mientras que la mujer no se debilita con el sexo de la misma manera que el hombre. La mujer se desgasta con la menstruación, el hombre con la eyaculación.

Un hombre puede quedar agotado y consumido tras las actividades pasionales de una noche, mientras que la mujer quizá solo percibe que le falta el sueño perdido. El hombre necesita aprender con teoría y práctica cómo tener relaciones sexuales; cómo conducir a la mujer por un tránsito de sensaciones, sin padecer disipación de su energía, es un proceso de aprendizaje.

El hombre nunca podrá sentir las pulsiones sexuales de la mujer y viceversa, un género no puede describir y explorar a plenitud la sexualidad del sexo opuesto porque no lo experimenta y vive en carne propia. Sin embargo, se intuye o presume que las sensaciones en la mujer son más extensas y totales, comparadas con los espasmos genitales que puede tener un hombre. El hombre tiene su pico de vigor sexual a los 24 años, después de lo cual hay un prolongado otoño sexual, la mujer entre los 35 y 40 parece recién descubrirse sexualmente y su apetito sexual está en apogeo a esas edades.

La mujer podrá tener resequedad vaginal, lo cual es relativamente fácil de remediar, pero elevar un pene flácido es un asunto complicado, una tarea más laboriosa, además que podría resultar humillante. El epicentro de la hombría está en la virilidad de su órgano sexual, un hombre impotente se siente humillado, mientras que una mujer puede vivir asexualmente sin el mismo problema existencial o condena social. El hombre entonces quizá sea más susceptible y frágil sexualmente.

El taoísmo antiguo produjo cuantiosos volúmenes dedicados a la sexualidad masculina y dedicó poca atención a la mujer. Y es la china la cultura que más a fondo ha investigado la energía sexual. En Occidente se intelectualiza sobre el componente psicológico y social de la sexualidad, pero poco se ha estudiado sobre la aplicación práctica y, menos, sobre la dinámica energética o los aspectos nutricionales, donde quizá estamos, comparativamente hablando, en una pubertad sexual.

Filósofos taoístas otorgan gran importancia a la energía sexual, ya que es el sustrato desde el cual emergen todas las energías del cuerpo. Conscientes del desgaste sexual propiciado por la eyaculación, la medicina china invita al orgasmo pero no siempre a la eyaculación. Con la eyaculación se desgastan nutrientes preciosos que el cuerpo ha preparado usando mucha energía. Igualmente hay un gran potencial de energía en el semen, hay suficientes espermatozoides en una eyaculación como para poblar varios países.

IMPOTENCIA

A lo largo de la historia han abundado alabanzas y apologías a la virilidad, traemos una innata atracción por las sensaciones físicas y por lo tanto hay una afinidad con sustancias como la testosterona. Muchos hombres tienen conciencia de que niveles bajos de testosterona serían causales de languidez sexual; lo que no se ha destacado lo suficiente, y lo que muchos no razonan, es que la impotencia podría estar relacionada con problemas vasculares.

Si bien es cierto que con la edad los niveles de testosterona disminuyen, esto sucede en mucha mayor medida en los sujetos con arteriosclerosis, hipertensión arterial y niveles altos de colesterol. La arteriosclerosis bloquea las arterias y capilares, asfixiando los testículos e interfiriendo en su capacidad de producir esta hormona masculina.

Aproximadamente el 80% de los problemas de impotencia son ocasionados por enfermedades vasculares; otras causas menos comunes son: la diabetes, la cirugía pélvica, las enfermedades neurológicas, las deficiencias del sistema endocrino y el uso de ciertos fármacos, en particular los antihipertensivos y diuréticos. Por otro lado, las causas psicológicas son responsables del 15% de los casos de impotencia. Vale decir que, en muchos casos, sojuzgamos monstruos psicológicos fantasmas en nuestro interior, quizá el inconsciente se someta a sórdidas horas de terapias y autoexámenes sobrenaturales con una conciencia llena de inseguridades y vergüenzas, cuando tendríamos que meditar con natural objetividad sobre el estado de las cañerías de nuestra pelvis y órganos sexuales.

El pene, el clítoris y los pezones contienen tejido eréctil. Una erección no es más que un pene inflado con sangre, pero si las arterias están congestionadas de grasa o el corazón es débil, no hay circulación y se presentará el melodrama de la impotencia.

Es bien sabido que la carne y los productos lácteos aumentan el riesgo de endurecer las arterias, propiciando la arteriosclerosis. En general, las comidas ricas en grasas saturadas endurecen las arterias y si estas se solidifican, se originan como secuela problemas vasculares, entre ellos la impotencia. Existen muchos hombres agradecidos con el Viagra, pero lo que conviene a la salud eterna del órgano sexual es acometer la también sensual aventura de consumir grasas esenciales. Indiscutiblemente, ganamos preservando salud, educamos el paladar y extendemos la vida y el misterio de las contracciones sexuales.

Medicamentos modernos como el Viagra funcionan mejorando la circulación sanguínea para lograr la erección. El mecanismo usado consiste en inhibir la enzima PDE 5, fosfodesterasa, para que se libere un agente químico que incrementa el flujo sanguíneo a los órganos sexuales. Sin embargo, si tenemos una dieta rica en quesos, embutidos y pollo a la brasa, parejamente estamos anquilosando nuestro sistema cardiovascular y comprometiendo la vida sexual. Estas comidas no son las que debemos considerar para las noches románticas. Además de comprometer la circulación, las grasas saturadas tienen la tendencia de cohesionar las células rojas, con lo cual causan una debilitada oxigenación del organismo, incluyendo los testículos y zonas erógenas. Una oxigenación débil no permite que los órganos trabajen a su máxima capacidad, lo que impide una experiencia plena de los goces disponibles.

En las heterogéneas dietas del hombre moderno, se tiene como constante utilizar aceites vegetales comerciales para preparar los alimentos. Si se consumen aceites hidrogenados, hay una recrudecida tendencia al endurecimiento de las arterias o arteriosclerosis; adicionalmente, las grasas trans presentes en los aceites hidrogenados están asociadas con la infertilidad. Las grasas trans interfieren con el desempeño de sistemas enzimáticos que producen ácidos grasos altamente insaturados, presentes en los testículos, además del cerebro y glándulas adrenales. Por otra parte, los ácidos grasos esenciales permiten producir prostaglandinas que a su vez incrementan el apetito sexual, la virilidad y dilatan el grado de placer. Una deficiencia de ácidos grasos esenciales mengua la vitalidad sexual. Un exceso de grasa, saturada o insaturada, amilana el placer sexual.

Una dieta con cero grasa no solo es incapaz de ayudarnos a perder peso sino que, adicionalmente, a largo plazo el deterioro se hace evidente en las actividades del dormitorio y el efecto sobre todas las funciones vitales del cuerpo puede ser devastador. Por otro lado, las dietas ricas en carnes y el uso de aceites vegetales comerciales explican las grandes ventas de fármacos como el Viagra. Irónicamente, el hombre siempre ha pensado que la carne lo haría más viril, la realidad es que sucede lo contrario.

Traemos un instintivo imán hacia el sexo y la comida, el amor incorpóreo indaga cómo concretarse en sensaciones palpables, con fuerza somos poseídos por la imaginación de ciertos olores y sabores de la comida. Ciegamente se ingieren alimentos en los que abundan, como nadie ignora, sustancias que anquilosan las arterias y, así, se va procreando en secreto el melodrama del decaimiento sexual. Quizá deberíamos aprender de las ardillas y conejos, los cuales, con su dieta de semillas oleaginosas, nueces y verduras, se procrean y fecundan con facilidad. Las semillas del reino vegetal, análogamente, favorecen los órganos seminales del hombre.

LA FERTILIDAD Y EL AJONJOLÍ

Existen estudios que indican que el consumo regular de ajonjolí ayuda al cuerpo a abastecerse de zinc. El semen del hombre es particularmente rico en este mineral y 100 g de ajonjolí restituyen el zinc perdido en una eyaculación, el que equivale a unos 5 mg. El zinc juega un rol importante en el mantenimiento de la salud espermática al defender los espermatozoides de los ataques de radicales libres, protegiendo así su material genético.

Una alta concentración de zinc ayuda a mantener una baja actividad del esperma justo antes del momento de la eyaculación, previniendo la eyaculación precoz al bajar el consumo de oxígeno del espermatozoide; se conserva así energía para utilizarla dentro del tracto reproductivo femenino. Existen enzimas en el esperma que son necesarias para que el espermatozoide penetre la pared celular del óvulo; esto se llama reacción acrosomática y requiere de zinc. En conclusión, se puede decir que el ajonjolí es un aliado de la fertilidad en el hombre, de ahí que en Medio Oriente se le llame la semilla de la inmortalidad.

PROSTAGLANDINAS, ACEITES, PRÓSTATA
Y CÓLICOS MENSTRUALES

La ciencia moderna estima que la medicina del futuro tomará un agudo interés en las prostaglandinas y sus poderes de curación en múltiples condiciones. Estas son hormonas o grasas biológicamente activas que produce el organismo en cantidades mínimas pero con potentes acciones. Tienen un amplio espectro de actividad biológica en los campos de reproducción, sexualidad, secreción endocrina, regulación de plaquetas, metabolismo de grasas, transmisión de impulsos nerviosos y muchos otros procesos vitales.

Su nombre se deriva de la próstata y antes se pensaba que solo allí se las encontraba. Ahora se sabe que son segregadas prácticamente por cada célula y tejido de los mamíferos. Las prostaglandinas necesitan de ácidos grasos esenciales como precursores de su síntesis.

Durante muchos años, lo que ha intrigado a los investigadores es el papel ambiguo de las prostaglandinas en su comportamiento tanto terapéutico como patológico, inflamatorio y a la vez antiinflamatorio. Por ejemplo, el Ponstan, que se utiliza para aliviar cólicos menstruales, tiene como principio activo el ácido mefenámico, un compuesto que actúa aliviando el dolor de dos maneras: inhibiendo la síntesis de prostaglandinas y también bloqueando los receptores celulares de las mismas.

Durante décadas la medicina no entendía cómo actuaba la aspirina. Los antiinflamatorios no esteroidales, tales como la aspirina o el acetaminophen (Tylenol), actúan inhibiendo la síntesis de las prostaglandinas para reducir el dolor y la fiebre. Los antiinflamatorios esteroidales, como la cortisona, cumplen su función inhibiendo el ácido araquidónico que se convertiría en prostaglandina inflamatoria. Si hiciéramos una relación de todos los medicamentos bloqueadores de prostaglandinas, tendríamos un incalculable listado.

Como vemos, la farmacología moderna viene bloqueando y batallando tenazmente en contra de las prostaglandinas. Casi todas las grandes compañías farmacéuticas han dirigido sus estudios hacia los caminos bioquímicos de la síntesis del ácido araquidónico, del cual se obtienen las prostaglandinas de la serie PGE2, o las llamadas prostaglandinas malas, causantes de dolor e inflamación. Las PGE2 generalmente están en la escena del crimen cuando hay dolor.

Estudios recientes señalan que existen tres tipos de prostaglandinas: las llamadas buenas de la serie PGE3 y PGE1, y las malas PGE2. Una manera más natural de afrontar el problema es incrementando las prostaglandinas buenas, que contrarrestan y neutralizan el efecto de las malas o PGE2.

Para producir estas buenas prostaglandinas se necesita incluir ácidos grasos esenciales en la dieta como materia prima. Esta es la razón por la cual los ácidos grasos esenciales se utilizan en condiciones como artritis reumatoide, dismenorrea o cólicos menstruales y cualquier proceso inflamatorio. Pero también se necesita que en su paso enzimático las prostaglandinas no sean bloqueadas.

Las prostaglandinas pueden ser bloqueadas por:
• Las grasas saturadas animales o los aceites refinados y las grasas hidrogenadas.
• El alcohol, tabaco, azúcar.
• El estrés.
• La insuficiencia de micronutrientes como zinc, magnesio, vitaminas B3, B6 y C.

Las prostaglandinas PGE3 y PGE1 cumplen una función antiinflamatoria, evitan la agregación plaquetaria previniendo la trombosis, reducen el colesterol LDL (malo) y los triglicéridos, son diuréticas, mejoran el metabolismo de la insulina, regulan el calcio, promueven la circulación, limitan el desarrollo de la arteriosclerosis, bajan la tensión sanguínea, estimulan el apetito sexual, entre otras.

CONSEJO SALUDABLE PARA EL BIENESTAR DE LA PRÓSTATA

La medicina popular durante años consideró la semilla de girasol como una inigualable cura para todos los problemas de la próstata; la ciencia moderna justifica plenamente esta prescripción tradicional. El girasol es rico en zinc, ácidos grasos esenciales y vitamina E, todos protectores prostáticos. En el cuerpo del hombre, la mayor concentración de zinc la encontramos en la próstata y las gónadas sexuales, y ambas necesitan grandes cantidades de este mineral para su funcionamiento.

Ahora se sabe que las prostaglandinas son elaboradas por todas las células, aunque en las células de la próstata se encuentran en mayores concentraciones que en el resto del cuerpo. Las prostaglandinas son de gran interés para estudios futuros por sus sorprendentes cualidades y resulta que para su síntesis se requiere de ácidos grasos esenciales, de los cuales el girasol ofrece generosas cantidades.

El efecto de las prostaglandinas de la serie PGE1 y PGE3 es antiinflamatorio y actúa sobre la hipertrofia prostática benigna. Pero hay que señalar que el girasol solo contiene ácidos grasos omega 6, por lo tanto solo puede formar prostaglandinas de la serie PGE1, y para mejores resultados clínicos es conveniente agregar una fuente de aceites omega 3, como la linaza, para así obtener también las prostaglandinas PGE3.

CAPÍTULO DIEZ

Grasas de
la mujer

La naturaleza es inexorable e inmutable, no transgrede nunca las leyes a ella impuesta, y no se preocupa jamás de que sus recónditas razones y modos de actuar sean accesibles a la capacidad de pensar de los hombres.

Galileo Galilei, 1615

GRASAS DE LA SEXUALIDAD Y LA MENOPAUSIA

El ser humano tiene derecho a la herejía, debe tener libertad de conciencia, pero es cuestionable tener la soberbia de imaginarse dueño y arquitecto de las leyes de la naturaleza. ¿Acaso no es natural dejar natural a lo natural?

Después de trabajar durante dos años en una clínica de menopausia y tras haber tratado a gran cantidad de mujeres en este tránsito hormonal y emocional, puedo concluir que el tratamiento de restitución hormonal es excelente. Produce resultados admirables: rápidamente desaparecen los bochornos, las sudoraciones nocturnas y el insomnio, entre otros síntomas. Sin embargo, este efecto positivo parece desaparecer luego de los meses iniciales, cuando visitan las erosivas secuelas de esta terapia: los embotamientos, la saliva amarga, hinchazones, dolores de cabeza, mareos e indigestiones. Aunque muchas mujeres conviven y coexisten en relativa paz y conciliación con su pastilla diaria, es un hecho indiscutible que la gran mayoría de ellas abandona esta terapia después o antes del primer año. Tan solo la sexta parte de las mujeres continúa con la terapia más allá del primer año. Del mismo modo he visto casos donde se esperan varios años de inservibles malestares mientras el médico busca la dosis o la hormona idónea.

La naturaleza quiso que la mujer transitara por esta agónica experiencia con un fin y es que luego de atravesar este umbral de reajuste hormonal se dispone de un nuevo terreno interno. Esta nueva geografía interior hace que la mujer tenga un sosiego hormonal, una nueva paz y, de seguro, nuevas revelaciones; en definitiva, una visión del mundo y un temperamento diferentes. Me pregunto, ¿no tendrá una mujer mensajes contradictorios en su sangre cuando tiene el cuerpo de una abuela pero las hormonas de una quinceañera?

Los tumores malignos son rápidamente avivados por la presencia de estrógenos. Quizá la naturaleza quiso que al avanzar la edad, cuando aumenta el riesgo de enfermedades neoplásicas, disminuyan sincrónica y paralelamente las sustancias agravantes de esas condiciones.

El cuerpo posee mecanismos autorreguladores. Las hormonas están sujetas a incesantes autorregulaciones realizadas por la glándula pituitaria. Durante el día hay un flujo muy variable de niveles de estrógeno, tanto así como el volátil temperamento de la mujer. Esta característica oscilante de las hormonas es una razón por la que es imposible obtener un perfil hormonal fiable midiendo los niveles de estrógeno en la sangre y más bien se mide la hormona maestra que regula el estrógeno, la FSH *(folicule stimulating hormone)*. Si los niveles de estrógeno responden continua y sensiblemente a estímulos internos y externos, ¿cómo se logra entonces esta homeostasis con la medicación de restitución hormonal? ¿No es vanidoso suponer que la razón del hombre puede calcular con mayor inteligencia y exactitud que el cuerpo mismo lo que este necesita?

Para el hombre resulta inconcebible e inaceptable cualquier medicamento que altere o inquiete sus hormonas; la hombría está en la barba, las cejas gruesas y los testículos. Sin embargo, pareciera que las mujeres ya han sido domesticadas y cada vez resulta más admisible tomar píldoras anticonceptivas o someterse a una terapia de restitución hormonal.

Una persona entrenada en el arte oriental de tomar el pulso, inmediatamente puede distinguir si un paciente recibe hormonas. Es bastante evidente y se palpa un pulso viscoso y abombado, como un río de mermelada que pulsa con cierta gravidez y resistencia. Tan notorio es este pulso que obstruye el diagnóstico porque da una falsa sensación de plenitud en la pulsación y camufla toda la información que podría obtenerse normalmente.

Debido a que la idea de tener los huesos derruidos aterroriza, muchas mujeres se consuelan con el pensamiento de que las hormonas son el antídoto de la osteoporosis. No existe ningún estudio científico sobre las hormonas que demuestre que son calcificantes. El único logro de la terapia de restitución hormonal (TRH) en este campo ha sido detener el proceso de descalcificación, y aun así esto no siempre se logra.

El riesgo de fracturas debido a la osteoporosis llega a los 75 años en promedio y para que la hormona sea útil para evitar este peligro, debe consumirse durante por lo menos diez años ininterrumpidos; aun así la densidad ósea solo se mantiene marginalmente mejor que la de las mujeres sin hormonas. Si se suspende la terapia de restitución hormonal, se recae en niveles de densidad ósea menores, previos a esta. ¿Vale la pena tolerar 25 a 30 años de dudosas hormonas? Si los estrógenos fueran efectivos para detener la osteoporosis, entonces, ¿por qué los hombres, que tienen mínimos niveles de estrógenos, no sufren de esta enfermedad como las mujeres? Las mujeres padecen mayor descalcificación por los embarazos y las menstruaciones, razón por la cual desde muy jóvenes deben estar bien abastecidas de calcio y magnesio.

Algunas mujeres, más estéticamente conscientes, toman la pastilla con la idea de mantenerse lozanas. Buscando magnetismo y hechizo hormonal, lo que hacen es sembrar una invisible semilla de corrosión que podría tener un triste y fatal final. También he visto a muchos hombres que inútilmente conducen a su desinteresada mujer a esta terapia para extender o enchispar su vida sexual. Este empujón a mitad de la vida no funciona, además es innecesario, pues la hormona excitante en la mujer es la testosterona y no el estrógeno. Se puede tener una satisfactoria, eléctrica y larga vida de pareja, más allá de la menopausia, esto dependerá de muchos factores pero no de la terapia de restitución hormonal.

El mayor problema de la TRH está en los efectos colaterales que produce, algunos de estos son las enfermedades al hígado. Aunque poco comunes, hay reportes de pacientes que con solo tomar hormonas, desarrollan ictericia por daño hepático. Esta es la razón por la que se crearon los parches hormonales; la idea es crear un *bypass* y evitar que la hormona transite por el hígado. Las hormonas son renovadas periódicamente y las antiguas o maltrechas son filtradas para su eliminación por el hígado. Igualmente, hay riesgo de cáncer de mama, de hígado y de útero. Como se sabe, el estrógeno es un fustigador de estas enfermedades. Asimismo, al suplementar estrógenos, las glándulas adrenales son desalentadas de continuar con su plena capacidad de producción de estrógeno.

FITOESTRÓGENOS (estrógenos de origen vegetal)

El estrógeno ("que genera calor") es un término aplicado a cualquier sustancia que induce *oestrus* o "calor". En medicina humana se refiere a sustancias naturales o sintéticas que generan cambios en el útero que preceden la ovulación, también responsables de producir características sexuales secundarias en la mujer. El uso de estrógenos de origen vegetal no supone una intromisión en la fisiología de la mujer; es distinto colaborar y unirse con la armonía de la naturaleza que establecer una usurpación de poderes y dictaminar por encima de leyes naturales, creyéndose más astuto que ellas.

La ciencia botánica nos señala que existen alrededor de trescientas plantas que poseen actividad estrogénica natural y muchas de ellas son comestibles. Igualmente, muchas de estas plantas no solo contienen hormonas sino que paralelamente tienen propiedades anticancerígenas, laxantes, nutritivas, etc.

Las personas de la selva que conocen el aguaje saben que cuando se hace un jugo de esta fruta flota una crema aceitosa; esta grasa es un fitoestrógeno. En la Amazonia también tenemos el iporuro, muy utilizado para dolores reumáticos, impotencia sexual y como antidiabético. Si nos vamos a la sierra nos encontramos con la vigorizante maca. Los estudios clínicos nos dicen que los alimentos favoritos para estimular la producción de estrógeno son la soya y la linaza, ambos, simultáneamente, tienen propiedades anticancerígenas. Y para calmar los burbujeantes contratiempos de la menopausia hay médicos que recomiendan hasta 100 gramos diarios de tofu o queso de soya.

Alimentos con fitoestrógenos

Muy ricos	Ricos
Soya *(Glycine max)*	Brócoli *(Brasica oleracea varieta*
Iporuro *(Alcornea castaneifolia)*	*italica)*
Linaza *(Linum usitatissimum)*	Berro *(Nasturtium officinale)*
Jalea real	Coliflor *(Brassica oleracea botry-*
Abuta *(Abuta rufescens)*	*tis)*
Ginseng *(Panax ginseng)*	Col *(Brassica oleracea)*
Ruibarbo *(Rheum palmatum)*	Anís *(Pimpinella anisum)*
Alfalfa *(Medicago sativa)*	Apio *(Apium gravelolens)*
Lúpulo *(Humulus lupulus)*	
Salvia *(Salvia officinalis)*	
Maca *(Lepidium mellen)*	

El uso de fitoestrógenos puede ser muy sutil y diferenciado y combate simultáneamente otros problemas. Por ejemplo, la maca y la alfalfa pueden ayudar a remediar la anemia; la salvia es muy efectiva para la sudoración nocturna; la soya es muy rica en magnesio, tan importante en la osteoporosis; la linaza es laxante y efectiva contra cefaleas; el iporuro ayuda en casos de artritis; y el brócoli contiene más calcio que la leche. Por otro lado, debe tenerse cuidado con los efectos secundarios de la TRH pues son adversos o de alto riesgo.

La experiencia clínica nos dice que los mejores resultados se obtienen al consumir los dos ácidos grasos esenciales, el gamalinoleico (omega 6) y el alfalinolénico (omega 3). Estas son grasas capitales para numerosas funciones de equilibrio hormonal, entre ellas la síntesis de prostaglandinas. Las hormonas no solo son producidas por los ovarios, también el tejido graso de la mujer produce hormonas, razón por la cual la menopausia puede pasar inadvertida en mujeres con reservas de grasa. Estas reservas tendrán una composición y naturaleza diferente dependiendo del tipo de grasa que se consuma en la dieta. En el hombre y en la mujer en postmenopausia, el principal secretor de estrógenos es el tejido adiposo, donde se produce esta hormona a partir de la deshidroepiandrosterona (DHEA) liberada por la corteza adrenal.

La medicina china es una disciplina que utiliza como instrumento de curación y regulación la energía. Hay que entender que la energía biológica, al igual que la electricidad, tiene dos polos, uno positivo y otro negativo. La medicina china explica que la menopausia es el resultado de un descenso de la esencia *yin* (-), y por ello hay un falso exceso compensatorio *yang* (+). El pulso que comúnmente se encuentra es el llamado "pulso de la cebollita china", es decir, flotante, duro y lleno en la superficie pero vacío en la profundidad. Si alegóricamente imaginamos que el cuerpo debe tener una balanceada proporción de agua y fuego, y de pronto retiramos el agua, entonces el fuego, al no estar restringido, empieza a arder aún más. Traducido, esto es: el deficiente *pool* hormonal *yin* ya no contiene al hervidero de energía *yang* y nos encontramos con calores, bochornos, insomnios, taquicardias y otros ardores emocionales.

Por lo tanto, desde el punto de vista de la alimentación y de la naturaleza energética de la comida, deben consumirse alimentos *yin* que tonifiquen la función del riñón y armonicen el hígado.

Una alimentación que nutra la esencia *yin* del riñón consta de alimentos como: germen de trigo, germinados de frejolito chino, algas, espirulina, frejoles negros, tofu, cebada y ajonjolí de semilla negra. Todas son comidas nutritivas y calmantes.

Una alimentación que apacigüe la hiperactividad del hígado incluye: en primer lugar el vinagre de manzana, también el jugo y la cáscara de limón, la toronja, diente de león, manzanilla, alfalfa, kiwicha, espárrago y todas las comidas verdes ricas en clorofila.

Una desaconsejable alimentación *yang* incluye comidas estimulantes como el café, el alcohol y la carne animal.

La terapia debe ser facilitada por personas entrenadas; además, la medicina china, por medio de la acupuntura, puede proporcionar una valiosa ayuda. Como ejemplo tenemos la dinámica del punto de acupuntura PE6, que contrarresta la opresión al pecho, bochornos y angustia en la mujer, o el HI3, que frena la hiperactividad *yang* del hígado y pacifica los dolores de cabeza.

Terapia herbolaria

Hierbas más útiles con actividad hormonal

Nombre	Uso
Iporuro	Hierba amazónica revitalizante, muy utilizada en casos de menopausia, artritis, diabetes e impotencia sexual.
Dang gui (*Angelica sinensis*)	Efectiva hasta en los casos más severos, es una raíz china que ofrece un efecto regulador hormonal. En la China, se acostumbra poner una raíz de esta planta en la sopa o hacer una decocción herbal. Tiene un aroma parecido al del apio y puede ser beneficiosa para las personas friolentas, de semblante pálido o con anemia. Se encuentra en muchas tiendas naturistas y en ciertas farmacias.

Nombre	Uso
Salvia	Largamente reconocida como una de las mejores plantas para detener las sudoraciones nocturnas. Regulariza los trastornos de la menopausia.
Sábila (*Aloe vera*)	Tónico de *yin*, calmante, tradicionalmente utilizada para la menopausia en Latinoamérica y la India. Debe evitarse si hay signos de frío o heces sueltas.
Canchalagua (*Pectis trifida*)	Hierba que tradicionalmente se utiliza para hacer depuración sanguínea, para acné juvenil y como regulador hormonal.

Un mineral que ayuda: el boro

El boro es un mineral que tiene efectos positivos sobre los niveles de estrógeno. Hay estudios que nos dicen que con el boro se duplican los niveles de estrógeno en la sangre, en particular la forma más activa, el estradiol 17B, y se llega casi a los niveles de estrógeno de las mujeres en terapia de restitución hormonal. Fuentes ricas en boro son: soya, manzana, pera, uva, dátil, durazno, almendra, nuez, avellana y maní.

EL LIGNANO DE LA LINAZA

Los lignanos son moléculas antigripales, antimicóticas, antibacterianas y fitoestrógenos con poderosas propiedades anticancerígenas. Se han realizado interesantes y promisorios estudios que nos afirman que el lignano suprime el crecimiento tumoral.

La linaza tiene cien veces mayor cantidad de lignano que su próxima mejor fuente natural que es el afrecho de trigo. Otras fuentes naturales son: la semilla de calabaza, los granos integrales y el té verde. Cuando se hace una extracción de aceite de linaza, tan solo el 2% de el lignano se presenta en el aceite, el 98% restante se encuentra en la cáscara del grano, razón por la cual es preferible consumir el grano entero (aunque molido) y no solo sus aceites.

El uso más promisorio para el lignano está en la prevención del cáncer: tiene propiedades que inhiben la carcinogénesis y que suprimen tumores en el colon. Otras investigaciones demuestran que las ligninas, enterolactona y enterodiol, redujeron el número de tumores en animales genéticamente susceptibles a desarrollar cáncer de mama. También la harina de linaza redujo la metástasis y suprimió el crecimiento metastático de tumores secundarios en animales.

Hay estudios que demuestran que las comidas ricas en lignano inhiben el cáncer de colon y mama en animales y reducen las metástasis de melanoma en ratones. Incluso ciertos análisis de laboratorio demostraron su efecto inhibidor de cáncer en células humanas de mama y colon. Además de los principios activos mencionados, la linaza molida es un sabroso aserrín que escobilla el intestino, previniendo fermentaciones y estreñimientos.

El lignano es un fitoestrógeno y como tal se encaja en los mismos receptores de los estrógenos en las células. Si durante la menopausia tenemos un bajo nivel de estrógenos, los lignanos actúan como si fueran estrógenos débiles e incrementan la actividad estrogénica, aunque no con la misma intensidad que el estrógeno auténtico; este vendría a ser un estrógeno con 50% de efectividad. Pero si los estrógenos abundan en la sangre, los lignanos reducen este nivel, porque ocupan y taponan los receptores de estrógeno en la membrana celular, desplazando así al estrógeno original y bajando su actividad estrogénica en un 50%. Esto es lo que se conoce como un regulador hormonal; aumenta si hay deficiencia o bien reduce si hay exceso.

Este desplazamiento de la hormona ayuda a prevenir el cáncer de mama, el cual usa el estrógeno como gestor de su proliferación. Estudios adicionales señalan que el lignano tiene propiedades anticancerígenas debido a otros factores no relacionados específicamente con el estrógeno.

La linaza es la fuente más rica de ácidos grasos omega 3. Hay exagerados comentarios que dicen que, al igual que es imposible obtener escorbuto si se consume vitamina C, es imposible enfermar de cáncer si se consumen ácidos grasos esenciales. Parece categórico afirmar esto, pero sabemos que la doctora Budwig, máxima autoridad en el tema de grasas, ha dedicado su vida a investigar este tema y ha tenido resultados asombrosos en pacientes desahuciados con cáncer. Ella está convencida de que el cáncer es un problema inmunológico, y para evitarlo sugiere utilizar aceite de linaza junto con proteína rica en azufre, como el queso cabaña.[45] Los resultados son más elocuentes que los argumentos.

ÁCIDO GAMALINOLÉNICO DEL ACEITE DE PRÍMULA (O *EVENING PRIMROSE OIL*)

El aceite de prímula contiene el ácido gamalinolénico (AGL), una grasa derivada del omega 6, que además está presente en la leche materna, el aceite de borraja y la espirulina. Por medio de una serie de pasos enzimáticos el cuerpo convierte el aceite omega 6 en ácido gamalinolénico, pero aun así, para que el cuerpo realice esta conversión se necesitan varios pasos enzimáticos que no siempre son eficientes en el cuerpo, mientras que el AGL otorga una asimilación directa, eludiendo intermediarios metabólicos.

El aceite de prímula *(Oenothera biennis)*, también llamado aceite de onagra, se utiliza extensiva y exitosamente para tratar muchos problemas ginecológicos y es vital en tiempos de menopausia; se emplea en casos de tensión premenstrual, dolores menstruales, enfermedades benignas de seno, también es importante en casos de esclerosis múltiple, cáncer, niños hiperactivos, esquizofrenia y obesidad.

En el hospital Saint Thomas de Londres se hizo un estudio de la efectividad del aceite de prímula en el tratamiento de tensión

---

45 Budwig. Op. Cit.

premenstrual. Los resultados fueron: un 61% experimentó un completo alivio de sus síntomas, el 23% experimentó un alivio parcial, el restante 15% no observó ningún beneficio. El estudio demostró que las mujeres con tensión premenstrual presentan niveles bajos de ácidos grasos esenciales, esta deficiencia puede conducir a un aparente exceso de la hormona femenina llamada prolactina. Aunque los niveles de prolactina se presentan como normales, hay una hipersensibilidad a la prolactina cuando los tejidos corporales tienen niveles bajos de ácidos grasos esenciales. Igualmente, el AGL es precursor de las prostaglandinas E1, que son hormonas que ayudan a contrarrestar los oscilantes niveles hormonales en la segunda mitad del ciclo menstrual.

Por otra parte, la espirulina también aporta AGL en importantes dosis y es nutricionalmente más completa. La espirulina es un alga azulverdosa que crece en lagos salados. Contiene proteínas de alta calidad, clorofila, provitamina A y altas concentraciones de vitamina B12, que es muy importante en la dieta vegetariana.

DOMINANCIA ESTROGÉNICA

Después de haber explicado cómo se obtienen los estrógenos en la naturaleza y de alertar sobre los problemas de los estrógenos sintéticos, vamos a poner todo de cabeza y a decir que los estrógenos no deberían ser nuestra principal preocupación en la menopausia. En un significativo número de casos, la mujer está expuesta a niveles excesivos de estrógenos, aun presentando síntomas de menopausia.

La mayoría de los problemas ginecológicos que afectan a nuestra sociedad tiene como común denominador lo que se ha llamado dominancia estrogénica. Esto quiere decir que exista o no deficiencia de estrógenos, hay un exceso de estos con relación a la otra hormona femenina, la progesterona.

Para entender la dominancia estrogénica y los problemas que trae, hay que hacer un poco de historia. Durante los últimos cincuenta años ha existido un nuevo y galopante problema con las enfermedades relacionadas con las hormonas. Cada día son más las mujeres con infertilidad, endometriosis, quistes al ovario, fibromas, cáncer de mama, cáncer cervical. La incidencia de cáncer de mama, por ejemplo, se ha triplicado en los últimos sesenta años. Los países industrializados y las grandes ciudades tienen tres veces más este problema que las zonas rurales o los países del tercer mundo.

Los estrógenos son la hormona predominante en las primeras dos semanas de la menstruación y la progesterona lo es en las dos semanas siguientes. Ambas deben jugar un rol conjunto e inseparable para el equilibrio. Si el estrógeno es dominante y la progesterona deficiente, el estrógeno se vuelve tóxico. Pocas son las mujeres deficientes en estrógenos, la mayoría carece de progesterona. Tras la menopausia, no hay suficiente estrógeno como para llevar un embarazo, pero sí hay suficiente en la sangre para mantener el cuerpo en forma. En síntesis, si el balance entre las hormonas se pierde, hay lugar para una cadena de lamentables desarreglos.

La sociedad moderna sumerge al hígado en grandes retos de supervivencia, por ser el encargado de eliminar los estrógenos, debido a factores como el abuso en la dieta y en el consumo de alimentos tóxicos. Pueden existir casos en los que los estrógenos no son eliminados de este órgano en forma eficiente, debido a sobrecargas de trabajo y congestión hepática. Esta efervescencia de estrógenos antiguos hace que la sangre tenga una levadura hormonal potencialmente peligrosa.

TIPOS DE ESTRÓGENO

- Estrógenos humanos (tres tipos: estradiol, estriol y estrona)
- Estrógenos sintéticos (píldora anticonceptiva y terapia de sustitución hormonal)
- Estrógenos animales (muchos usados en productos farmacéuticos, algunos vienen de la orina de yegua)
- Xenoestrógenos (petroquímicos, carnes animales, leches, pesticidas, DDT)

Las hormonas sintéticas son moléculas similares pero diferentes de las humanas. Estas moléculas imitan el trabajo de la hormona humana, pero no producen la misma calidad de resultado. Tampoco nos ofrecen la misma seguridad y garantía que las hormonas originales. El problema no solo está en la distinta estructura molecular, sino en que las dosis dadas por lo general son diferentes, casi siempre mucho mayores a lo que el cuerpo normalmente produciría, y que además regularía y ajustaría incesantemente por medio de la glándula pituitaria.

Aun si se argumentase que existen hormonas molecularmente idénticas a las hormonas humanas, también esto puede ser engañoso. Por ejemplo el carbón, el diamante y el grafito que está en un lápiz son de carbono, con una composición química molecular idéntica, pero sabemos que su comportamiento no es el mismo, no hacemos parrilladas con grafito y menos con diamantes.

De otro lado están las hormonas animales que, aunque no se conocen estudios comparativos, después de los fitoestrógenos quizá sean las más inofensivas para el uso humano. Se elaboran principalmente con los ovarios de cerdas o la orina de yegua. Son moléculas distintas de las humanas, pero pueden servir sin el peligro de animalizar la sexualidad de la mujer.

Los xenoestrógenos son otros de los grandes responsables del ocaso de la salud hormonal del mundo moderno, tanto en el hombre como en la mujer. Son moléculas contaminantes que actúan como hormonas, pero afectan la bioquímica de los receptores celulares de hormonas. En este grupo tenemos pesticidas, compuestos plásticos, industriales y drogas farmacéuticas.

Pocas personas imaginan que al comprar un paquete de queso rebanado y revestido en varias láminas individuales de plástico polivinil (2-etil hexil adipate, DEHA) están a punto de consumir estrógenos plásticos y transparentes, con reconocida interferencia hormonal en animales. El queso expuesto al plástico polivinil puede tener entre 50 y 270 partes por millón de xenoestrógenos, cuando los límites puestos por la Comunidad Europea son 18 partes por millón. Adicionalmente, la hormona de crecimiento bovina, junto con los estrógenos sintéticos y bovinos, también coexiste dentro del queso mismo.

Si se hace el experimento de beber agua pura en una copa de vidrio y luego en un vaso plástico, claramente podemos percibir que hay una diferencia de sabor. Si esto es así, entonces debe de ser que estamos saboreando e ingiriendo algo añadido al agua. Desde el bebé que succiona su chupón plástico, hasta la abuelita que calienta su comida en envases plásticos en el horno microondas, todos estamos recibiendo gratis una terapia de irrigación hormonal.

La mayoría de estas sustancias simula el comportamiento de los estrógenos y hace proliferar los tejidos estrogénicamente sensibles, por lo tanto incrementa el riesgo de cáncer de mama o cáncer de endometrio, ovario, etc. Los xenoestrógenos nos provocan un caos hormonal, lamentables problemas ginecológicos de todo tipo que, cada día, son más frecuentes.

Ya sea debido a la suplementación de hormonas sintéticas o la exposición a xenoestrógenos ambientales, lo común es que las mujeres estén sobreestrogenizadas, y pueden estarlo aun teniendo una deficiencia de estrógenos, porque es un exceso relativo a una deficiencia de progesterona. Cada vez son más frecuentes las mujeres con endometriosis. En esta condición hay una incontrolable proliferación de tejido del endometrio fuera del útero, que puede crecer en la vagina, en los ovarios o cualquier lugar de la pelvis. ¿No será que esta indómita propagación del endometrio es alentada por la dominancia estrogénica?

PROGESTERONAS NATURALES

En el mercado tenemos ahora varios productos que se venden masivamente por contener, supuestamente, progesteronas naturales. Se venden como cremas cosméticas hechas a base de yuca silvestre mexicana *(Dioscorea villosa)*. Las progesteronas naturales están muy de moda, hay muchos argumentos a su favor que la industria utiliza para promocionar las ventas, como la dominancia estrogénica, pero tenemos que poner en perspectiva algunos elementos de la llamada progesterona "natural".

A finales de los años sesenta, cuando se empezaron a suplir los estrógenos, se pensó que esta sería la hormona de la eterna juventud, de las vaginas húmedas y el adiós a los sobresaltos emocionales de mujeres en menopausia. Hemos demorado veinte años en darnos cuenta de que las mujeres que toman estrógeno tienen una incidencia de cáncer del endometrio ocho veces mayor que aquellas que no toman hormonas. Teniendo esto en cuenta y con los argumentos de dominancia estrogénica moderna, ciertas industrias embelesan al público con la idea de progesteronas "naturales".

Si bien es cierto que la materia prima para las progesteronas comerciales es la yuca silvestre, esta no contiene progesterona y hay que sintetizarla en un laboratorio para obtener la hormona. El cuerpo no puede hacer esta conversión de la yuca a la progesterona, lo tiene que hacer en sucesivos pasos la industria química. Por lo tanto, la llamada progesterona "natural" no tiene nada de natural, y las cremas de yuca no tienen nada de yuca, las cuales históricamente sí han sido usadas por herbalistas como antiespasmódico, para problemas menstruales y menopausia. Con este engaño podríamos vender casi toda la farmacopea como natural, si nos remitimos a las materias primas naturales desde donde se extrae. Las píldoras anticonceptivas las hacen con algo tan natural como la soya, ¿y acaso son contraceptivos ecológicos de soya?

OPERACIONES DE LA MUJER

Aunque todavía no hemos conocido ginecólogos o cirujanos vaciados de sus testículos, y estoy seguro de que ningún hombre se complace en ver hecho escombros su aparato reproductor, es sorprendente ver cuántas mujeres han sido vaciadas de su útero y ovarios, una decisión trascendental que naturalmente hace rotar el eje de la mujer.

Esta quirúrgica solución se decreta, no se propone al paciente, y se tiene como respaldo legal el título médico y como coautor el desconocimiento y temor de la paciente. Si bien en ciertos casos es legítimo y necesario tomar esta radical opción, definitivamente no lo es en muchos otros. Lamentablemente, muchos cirujanos tienen una sola herramienta de trabajo: el bisturí; su visión de la salud es angosta en cuanto a alternativas, por ello terminan imantados hacia el hierro de su cuchillo, ya que desconocen otras opciones menos invasivas. La artillería pesada solo debería emplearse cuando la vía diplomática y natural ha fracasado.

Una histerectomía es una medida extrema que debe evitarse en lo posible, deja cicatrices emocionales, bloqueos energéticos y, luego, se requieren medios artificiales y sintéticos para equilibrar el medio interno. Por ejemplo, la medicina china establece un vínculo por oposición entre el vientre y la nuca y, coincidentemente, muchas mujeres operadas por histerectomía tienen problemas de dolores cervicales, tensión en el cuello o mareo.

Las cicatrices operatorias también son tan solo el ápice de un iceberg de colágeno y adherencias viscerales. La fertilidad y el embarazo están tan consustanciados y enraizados en la mujer que, concientes o no, la certeza de no poder concebir más es causa de melancolía. Estoy seguro de que si se hicieran estadísticas de incidencia de depresión entre los grupos de mujeres con y sin histerectomía, se empezaría a recapacitar un poco más sobre estas prácticas médicas.

El cuerpo y la mente son una unidad interdependiente. Parte de la creatividad de la mujer está en su cuerpo; cuando la integridad del cuerpo físico se ha interrumpido, el cuerpo emocional ya no responde igual, no es el mismo; se puede decir que tras la histerectomía nos encontramos ante un estreñimiento de la fertilidad espiritual.

Conviene a las personas operadas recibir acupuntura, enmendar el problema original, además de someterse a una terapia de la cicatriz, un tratamiento que genera un potencial eléctrico a lo largo de la cortadura y permite que se restablezca el flujo de energía en esa zona.

Afortunadamente y poco a poco, el icono de la medicina ortodoxa se está desmoronando como autoridad incuestionable y dueña de la verdad. En vez de ser partidarios fundamentalistas de la fe quirúrgica, ¿por qué no ser más ecuménicos, abiertos y dispuestos a abrazar otras prácticas de la medicina? Si la población tiene una estrecha gama de opciones, su sanación también será estrecha y dejará vacíos sin curar.

Por ejemplo, en alguna oportunidad, tras evaluar el pulso, palpar, observar la lengua y todos los rasgos de diagnóstico corporal, he podido concluir que había un problema en la vesícula biliar. El paciente, con una sarcástica sonrisa, me responde que debo de estar mal de la cabeza porque fue operado y no tiene vesícula. Lo paradójico es que cuando me da esa respuesta confirma mis sospechas. El retirar la vesícula no hace nada por resolver el problema de fondo, como podría ser un hígado graso. De la misma manera, hacer una histerectomía no remedia la congestión pélvica original, más bien la acrecienta con adherencias y deja el vientre como un pantano aglutinado, un amasijo de telarañas y coágulos adhesivos, además de dejarlo expuesto al acentuado riesgo de desajustes hormonales.

El cuerpo obtiene la progesterona y el estrógeno a partir de grasas, específicamente del colesterol, por medio de varios pasos enzimáticos. La sangre de la mujer no carece de colesterol, más bien ocurre todo lo contrario y se debe vigilar su exceso. Si hay escasez de hormonas, no es por falta de materias primas sino porque los caminos enzimáticos para su conversión empiezan a fallar. Si hay desorden y caos en las hormonas no es por capricho y anarquía de los ovarios, sino porque se han violentado leyes naturales.

La manera legítima de favorecer y armonizar la producción de progesterona y estrógeno es ayudando al cuerpo a optimizar estos pasos enzimáticos de conversión, y esto se hace con magnesio, antioxidantes, ácidos grasos esenciales, vitaminas del complejo B, vitamina C; en definitiva, con una buena dieta. Además deben eliminarse agentes que entorpecen la conversión enzimática como: café, cigarro, margarina, pesticidas, detergentes y alcohol, entre otros.

Las grandes soluciones a los problemas son por lo general muy sencillas. Lo complejo oscurece la verdad. La verdad es profunda, vasta y hasta puede ser misteriosa, pero igual es muy sencilla, tan sencilla como natural.

Hace mucho tiempo un barbudo muy sabio y en harapos dijo que "solo la verdad nos libera". Una buena alimentación trae salud, esto es una verdad, es sencillo, es natural. La verdad siempre concuerda con la verdad.

CONSEJOS SALUDABLES PARA OBTENER FITOESTRÓGENOS

✎ Crepes de tofu con salsa de champiñones ✎

Crepes

400 g	de tofu (queso de soya)
1	taza de leche de soya
1/2	taza de harina integral de trigo
1	taza de frejolitos germinados
1	cucharada de salsa soya (sillao)
2	cucharadas de jengibre rallado (kion)
2	cucharadas de aceite de oliva
1/2	taza de hongos shitake o champiñones
1/2	taza de verduras (berro, alfalfa germinada, brócoli, etc.)
1/4	de taza de cebolla picada

En la licuadora o procesadora de verduras combinar el tofu, la harina y la leche de soya hasta lograr una textura uniforme. Añadir las verduras, el aceite y la salsa de soya. La masa debe quedar firme, añada harina de ser necesario. En una sartén caliente verter la masa hasta tener crepes de tres pulgadas de diámetro y 1/4 pulgada de espesor. Cocinar hasta que queden doradas por los dos lados. Cubrir con salsa de champiñones y servir.

Salsa de champiñones

1	cucharada de aceite de oliva
2	tazas de champiñones picados
2	dientes de ajo
1/2	taza de leche de soya
2	cucharadas de harina integral de trigo

Sal y pimienta al gusto

Verter hongos, ajo y sal en una pequeña ollita, cocinar movien-
do continuamente por unos 7 minutos. Después, reducir a fue-
go bajo, añadir la harina y cocinar moviendo continuamente
un minuto; luego añadir la leche de soya y cocinar hasta que es-
pese y burbujee (3 a 5 minutos). Dejar reposar. Si se desea, tam-
bién se puede licuar hasta formar una pasta de champiñones.

Paté de tofu

250 g de tofu
1   diente de ajo
10   aceitunas sin pepas
Sal y pimienta al gusto

Mezclar todo y procesarlo o licuarlo.

Croquetas de soya

2	tazas de soya cocida y molida (okara)
1	cebolla picada
4	papas cocidas y amasadas
1	cucharada de aceite de sacha inchi
6	aceitunas picadas
1	hoja de laurel
1	huevo
4	cucharadas de leche de soya
2	cucharadas de harina de trigo integral
4	cucharadas de pan rallado

Rehogar la cebolla picada en 1 cucharada de aceite. Añadir la leche de soya, el okara, las papas, aceitunas, laurel y un poquito de sal y hervir por un minuto. Retirar del fuego, añadir el aceite de sacha inchi y mezclar bien. Dejar enfriar y hacer las croquetas, pasándolas por la harina, luego por el huevo batido y al final por el pan rallado.

Preparar un molde y untar con mantequilla. Poner las croquetas al horno por 20 minutos a temperatura media.

Cómo combatir la sequedad vaginal

Los ácidos grasos esenciales ayudan a mantener el balance hormonal y también previenen la sequedad vaginal. Un remedio casero para esta condición es introducir como óvulo vaginal cápsulas de vitamina E (vitamina soluble en cuerpos grasos), cada noche una cápsula durante diez días consecutivos. A largo plazo conviene consumir ácidos grasos esenciales.

CAPÍTULO ONCE

El lado secreto de la leche

LA OSTEOPOROSIS Y LOS SUPLEMENTOS DE CALCIO

Una de las pocas áreas de la nutrición en la que la sociedad ha puesto especial interés y cuidado es en el calcio, quizá como parte del sano instinto maternal de alimentar a los hijos. Se cuida tanto a los niños en crecimiento como a las mujeres que peligran de osteoporosis. Lamentablemente, existe un enorme malentendido sobre la leche y la ignorancia popular hace que se ocasionen más problemas que soluciones.

El mito formado alrededor del calcio es tan descomunal que, ante el temor de carecer de este importante mineral, la gente recurre a los suplementos que se expenden en las farmacias y/o al consumo de leche de vaca. Los adultos pagan altos precios por sus tabletas y los menores son forzados a beber varias tazas de leche al día; en ambos casos para detrimento de su salud. De todas las fuentes de calcio que ofrece la naturaleza, estas dos –las favoritas de la industria farmacéutica, la industria de lácteos y el público en general– están muy lejos de ser la mejor opción a considerar.

Por otro lado, las estadísticas nos dicen que el 68% de la población carece de calcio en su dieta. Asimismo, la tasa de pérdida de masa ósea en la mujer moderna es mucho más elevada que la de nuestros ancestros, aun cuando no tenían tabletas de calcio o terapia de restitución hormonal (TRH).

La vasta mayoría de los suplementos de calcio que conseguimos en las farmacias lo contienen bajo la forma de carbonato de calcio. El consumidor debe darse el trabajo de leer lo que dicen las letras pequeñitas que especifican los ingredientes. Debe saberse que el carbonato de calcio es el nombre técnico con el que se disfraza la tiza. Es la fuente más barata de calcio porque se obtiene de minas de piedra caliza; por lo tanto, es una fuente mineral e inorgánica y no está presente en animal o planta alguna. La tiza tiene el inconveniente de ser muy mal absorbida por el organismo, incrementa el riesgo de formar cálculos renales, calcificaciones en las mamas y además puede depositarse en las articulaciones contribuyendo a la artritis. Su eficiencia como suplemento ha sido seriamente cuestionada, ya que es absorbida muy pobremente e incluso existen estudios en donde se demuestra que incrementa la pérdida de calcio en la orina de mujeres con adecuados niveles de acidez estomacal.[46]

Asimismo, la mayoría de los suplementos de tiza no ha sido debidamente refinado y contiene niveles tóxicos de plomo. Aparte de estos efectos adversos, como se dijo, la tiza tiene una muy pobre absorción en el cuerpo; por ejemplo, se ha demostrado que 500 mg de citrato de calcio tienen mucha mejor absorción que 2000 mg de carbonato de calcio.

En el mercado, casi todo el calcio que se obtiene como suplemento, incluyendo el que distribuye el seguro social, es en forma de carbonato de calcio. Después de consultar en una farmacia local, no se encontró un solo suplemento que no fuera carbonato de calcio, aunque en teoría en el mercado también existen otras presentaciones como las que aparecen en el siguiente cuadro.

---

46 Marilyn Glenville. *Natural Alternatives to HRT.*

Algunas presentaciones de suplementos de calcio

- **Gluconato y lactato de calcio**: se dice que contiene niveles "permisibles" de plomo.
- **Clorhidrato de calcio**: no recomendado, ya que irrita el tracto digestivo y está contraindicado en casos de insuficiencia renal.
- **Citrato de calcio:** es la presentación más disponible, inhibe la formación de cálculos renales y baja la presión arterial. Como suplemento es el único que puede recomendarse.[47]

A las personas que no les interesen los efectos adversos mencionados sino tan solo la economía de su bolsillo, pueden comprar tiza a mejor precio en la librería más cercana y cortarla en cómodas rodajas para su consumo diario; de lo contrario, pueden seguir leyendo el texto y aprender sobre las fuentes primarias de calcio.

Por otra parte, volviendo al tema de la leche, el culto a esta es un mito muy ampliamente difundido y difícil de borrar de la mente colectiva. Quizá nuestra lactancia instintiva se ha extendido más allá de lo necesario y traemos un legado de amamantamiento condicionado en la psique. Tanto se nos ha lavado el cerebro con la "importancia" de la leche, que tal vez pasará algún tiempo antes de que la población tenga una perspectiva más equilibrada y objetiva sobre el tema.

Sin lugar a dudas, es importante incluir en la dieta adecuados niveles de calcio, pero el tema es más complejo de lo que parece. ¿Qué pone el calcio en los huesos y qué lo retira? Podemos estar consumiendo suficientes cantidades de este mineral, pero no necesariamente lo estaremos absorbiendo. También hay personas que continuamente están en proceso de descalcificación, aun cuando consuman suficiente calcio en la dieta. Por ejemplo, en la China se consume, en promedio, 500 mg de calcio diarios, mientras que en EE.UU. unos 1 200 mg, pero lo paradójico es que la China no es un país que padezca de osteoporosis, mientras que EE.UU. lidera entre los países que la padecen junto con Finlandia y Dinamarca. Esto nos lleva al tema del factor acidez y

---

47 Quick Access. *A Guide to Conditions Herbs and Supplements.*

la acidosis de la sangre. La acidosis de la sangre es un mal muy difundido en la sociedad moderna. Las personas con malos hábitos alimenticios, que son la mayoría de la población, tienen un excesivo nivel de acidez en la sangre debido a que su dieta es rica en carnes animales, azúcares, harinas refinadas, bebidas gaseosas, lácteos, también en alcohol y cigarrillos. Muchas de esas personas consideran que tienen una buena dieta y que sus síntomas se deben a causas tales como el estrés, cuando en realidad lo que padecen es una crónica acidificación de su sangre.

SÍNTOMAS DE ACIDIFICACIÓN DE LA SANGRE

- Fatiga crónica
- Tendencia depresiva
- Encías inflamadas y sensibles
- Caries y debilitamiento de los dientes
- Alopecia (caída de cabello) y cabello sin brillo
- Ardor y escozor en el recto o vías urinarias
- Piel seca y agrietada
- Uñas frágiles y manchadas
- Espasmos y calambres musculares
- Facilidad para contraer infecciones
- Ciática
- Problemas articulares
- Dificultad para recuperarse
- Mal aliento y mal sabor en la boca en las mañanas[48]

El equilibrio ácido-alcalino, o pH de nuestra sangre y medio interno, si bien está regulado por nuestro propio organismo, también se ve afectado por la dieta. La acidosis es responsable directo o factor agravante de numerosas condiciones debilitantes como: osteoporosis, desórdenes nerviosos y emocionales, cálculos renales, gota, artritis y baja inmunidad.

---

48 Silvana Ridner. *Nueva Alimentación Nueva Vida.*

El tener sangre ácida ejerce un poderoso efecto corrosivo sobre los tejidos y huesos, y los expone a una continua desmineralización. El alimento ácido es generador de mucosidades y el exceso de estas, a su vez, crea oportunidades para el desarrollo de virus y bacterias. Aparecen entonces catarros, sinusitis y problemas intestinales.

La sangre debe tener un pH ligeramente alcalino (7,3 a 7,5); cuando no se logra este pH alcalino y no hay los álcalis suficientes en la sangre, el organismo los obtiene de los huesos, las uñas o de otros tejidos esenciales. Una función primordial del calcio es neutralizar y restablecer el pH del cuerpo. Cuando se consume un exceso de comida acidificante, nuestras reservas de calcio de los dientes y huesos son llamadas para corregir este desbalance. Las dietas ricas en ácidos (carnes y azúcares) hacen que continuamente utilicemos nuestras reservas de calcio, es como si sumergiéramos nuestros huesos en vinagre y los expusiéramos a una continua corrosión y desmineralización.

Cuando se habla de comidas acidificantes, no debe pensarse en cosas como limones o naranjas; acidificante en este contexto se refiere al efecto de la comida dentro de la sangre, una vez concluida la digestión. Las comidas alcalinas, que combaten la acidosis, son las frutas, las verduras y los cereales integrales. Las comidas acidificantes son la leche, el queso, la carne, el pollo, el pescado, los azúcares y las harinas refinadas. Los productos lácteos, con excepción de la mantequilla, son extremadamente acidificantes.

En realidad, cuando los cítricos pasan al torrente sanguíneo tienen un efecto alcalinizante; la mejor medicina para la acidosis de la sangre es la cura de limón o citroterapia.

La citroterapia consiste en tomar en ayunas el jugo de cinco limones, diluidos o no en agua. Cada día se aumentará un limón hasta llegar a diez y luego diariamente se reducirá un limón hasta volver a los cinco originales. Este es también un excelente estímulo para el hígado, combate la varicosis, fluidifica la sangre, proporciona un pH alcalino, nos provee de abundante vitamina

C, al mismo tiempo que purifica la sangre y por lo tanto los órganos que ella nutre.[49]

Las principales comidas que producen acidosis son las proteínas. Se ha calculado que por cada 10 g de proteína animal que se consume, 100 mg de calcio son perdidos en la orina. La dieta característica del hombre moderno deriva el 90% de sus calorías de comidas acidificantes. Otro importante grupo de alimentos acidificantes son los azúcares refinados.

Tenemos, por ejemplo, que:

- La miel es alcalina y el azúcar blanca es altamente acidificante.
- Los granos más alcalinos son el arroz integral, el trigo, el mijo, mientras que la harina blanca es altamente acidificante.
- Las carnes y los embutidos son acidificantes.
- Los aceites prensados en frío son alcalinos.

Vivimos en la era de los alimentos refinados: la sal marina se convierte en sal refinada, el grano de trigo en harina blanca, la caña de azúcar en cristales de azúcar, los aceites de oleaginosas en margarinas *light*, el maíz en *corn flakes,* el huevo en mayonesa, el tomate en *ketchup.* Así, innumerables productos ya no se consiguen en su estado natural: se hierven, cocinan, procesan, extraen, saborizan y preservan los alimentos hasta la muerte; se les sacan todas sus vitaminas, minerales, enzimas y ácidos grasos esenciales. Luego, por separado, nos venden suplementos como

---

49 ¿Cómo el limón alcaliniza la sangre?
El zumo de limón, al llegar al tracto digestivo en ayunas, combate los gérmenes que originan fermentación. El jugo de limón contiene poderosos álcalis de potasio que están combinados con sus ácidos libres, formando sales neutras, llamadas citratos. El jugo de limón, una vez en la sangre, hígado y sistema linfático, disuelve residuos que son nocivos; las sales del jugo de limón se oxidan y descomponen formando agua y anhídrido carbónico. Si se eleva la temperatura se origina anhidro diocarbónico, que se combina con sales alcalinas de la sangre formando carbonatos, los cuales son sumamente alcalinos. La sangre al llegar a los pulmones desprende anhídrido carbónico con la expiración, ahora las bases alcalinas se hallan libres para neutralizar las toxinas ácidas, como ácido úrico, ácido láctico, etc. El resultado final es la desintoxicación y alcalinización de la sangre. (Sacado de Teófilo Luna. *Las frutas su poder curativo*).

Centrum, Ca-Mg-Zn y vitaminas en miles de productos y precios desde la A hasta la Z.

Pareciera que la industria alimentaria y la farmacéutica conspiraran juntas para exprimirnos el máximo de dinero (mientras nos dejan el mínimo de salud). Si desmineralizamos los alimentos, ¿cómo no se van a desmineralizar los huesos?

Una razón, independiente de la cafeína, por la que billones de personas toman café en la mañana, incluyendo a aquellas que son totalmente inoperantes antes de haber tomado su imprescindible café, es porque este ejerce un inmediato efecto alcalinizante sobre la sangre, y nos da el antídoto para la resaca de la acidez.

La conexión entre el excesivo consumo de proteína y pérdida de calcio lo conoce la ciencia desde hace más de 50 años; sin embargo, poco se ha hecho por difundir tal información. Un estudio realizado con 1 600 mujeres demostró que las que estaban bajo dieta vegetariana tenían solo el 18% de pérdida de masa ósea, comparado con 35% de pérdida en aquellas que consumían carne.[50] La carne roja, siendo rica en fósforo, compite con el calcio y bloquea su absorción. En resumen, la acidosis de la sangre es un importante promotor de la desmineralización de los huesos y tejidos nobles.

CALCIO Y HORMONAS

La teoría que está de moda es que el estrógeno nos protege de la osteoporosis. Si bien es cierto que el estrógeno estimula al hígado para producir una proteína que protege de los corrosivos efectos de la adrenalina sobre los huesos, esta no es una visión integral ni completa, y la función del estrógeno en este sentido está muy debatida.

Si la teoría de que el estrógeno hace que tengamos buenos huesos fuese correcta, ¿por qué entonces los hombres que tienen relativamente mínimas cantidades de estrógeno, no sufren de osteoporosis como las mujeres? Y ¿por qué la pérdida de masa

---

50 Glenville. Op. Cit.

ósea comienza bastante antes de la menopausia, a partir de los 30 años, cuando aún no ha existido descenso alguno en los niveles de estrógeno?

A las mujeres con riesgo de cáncer de mama, se les da medicamentos bloqueadores del estrógeno (Tamoxifeno). Si la teoría acerca del estrógeno y la osteoporosis fuese válida, este medicamento debería causar también la osteoporosis, pero esto nunca se ha reportado. El estrógeno no es el único, ni el más importante, factor de descalcificación. La clave está en lo que comemos, y en lo que no comemos, así como en los estilos de vida.

Las mujeres están más expuestas a perder calcio que los hombres, por la pérdida de sangre, que contiene calcio, en la menstruación. Las mujeres también pierden mucho calcio en el embarazo. Una mujer gestante desprende cuatro veces más calcio en un embarazo que en nueve menstruaciones; es decir, un embarazo (siempre y cuando no sea de mellizos), equivale a treinta y seis menstruaciones en cuanto a pérdida de calcio, lo que corresponde a un plazo de dos años y nueve meses en menstruaciones.

Mujeres, ¡por favor, obtengan su calcio! La osteoporosis es una enfermedad silenciosa, los rayos X solo detectan pérdida de mineral cuando ya se ha perdido por lo menos el 60% de masa ósea.

Osteoporosis

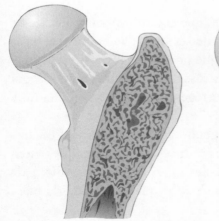
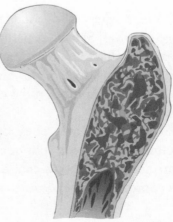

Hueso sano   Hueso con osteoporosis

El calcio en la sangre está regulado por dos hormonas: la calcitonina que lo almacena y la paratiroidea que lo retira de los huesos. Cuando consumimos suficiente calcio y se tienen adecuados niveles de este en la sangre, el organismo secreta calcitonina para almacenarlo en los huesos. Cuando no se consume suficiente calcio, el cuerpo lo obtiene de los huesos. A veces el cuerpo toma demasiado calcio del esqueleto. Este exceso extraído también representa un problema y el cuerpo lo maneja de manera muy ineficiente. En vez de redepositarlo en el hueso, el excedente se acumula en las arterias lo que genera hipertensión arterial y le da un trabajo excesivo al corazón. Después de un tiempo, esta situación debilitará el corazón y lo hará candidato a acumular mayores calcificaciones. Un hígado graso o con cirrosis también es candidato a acumular calcificaciones. El excedente de calcio nos conduce a cálculos renales, osteofitos en los huesos generadores de artritis, arteriosclerosis y calcificaciones de tejido blando.

CALCITONINA	HORMONA PARATIROIDEA
• Actúa sobre osteoblastos (edifica hueso) • Disminuye niveles de calcio en la sangre	• Actúa sobre osteoclastos (disuelve hueso) • Aumenta los niveles de calcio en la sangre

LECHE Y PASTEURIZACIÓN

Desde niños hemos escuchado que el hígado de res es una maravilla alimenticia y también de los múltiples "beneficios" que tiene la leche. Nuestros textos escolares de primaria contenían dibujos de pirámides nutricionales y nunca faltaba el vaso de leche al lado de los huevos y la carne. Estas ideas e imágenes condicionan la mentalidad de nuestra generación, y todo condicionamiento es una barrera a nuestra libertad de pensar. Para muchas personas, la realidad de los hechos científicos o lo que experimentan en sus propios cuerpos no basta para contrarrestar condicionamientos tan arraigados.

Uno de los varios problemas que presenta la leche comienza con la práctica universal de la pasteurización. Está científicamente demostrado que los becerros alimentados con la leche pasteurizada de su propia madre, en general, mueren dentro de un plazo de pocos meses. En un estudio hecho en el Auchincruice Agricultural College de Inglaterra, se tomaron dieciséis becerros, ocho alimentados con leche natural y ocho con leche pasteurizada. En este último grupo, dos becerros murieron antes del primer mes, uno murió en el día 92; por misericordia, otro fue llevado al veterinario para ser resucitado, antes de terminar el experimento. Todos los becerros alimentados con leche natural se desarrollaron saludablemente.[51]

Otro interesante experimento fue el que realizó el doctor Francis M. Pottenger con 900 gatos para analizar los efectos de la leche pasteurizada. Un primer grupo recibió únicamente leche cruda y el otro solo leche pasteurizada de la misma fuente. El primer grupo se mantuvo saludable, los gatos mostraron un comportamiento activo y alerta. Por otro lado, el segundo grupo dio claras señales de decaimiento, y los gatos estuvieron sujetos a una larga lista de enfermedades degenerativas que en general solo se asocian al hombre moderno: enfermedades cardiacas, disfunción de glándulas tiroideas, insuficiencia renal, hígado inflamado y huesos débiles.

Sin embargo, lo más resaltante del estudio fue lo que sucedió con la segunda y tercera generación de estos gatos. La primera descendencia de los que fueron alimentados con leche pasteurizada nacieron con dientes y huesos débiles, evidentes signos de deficiencia de calcio. La tercera generación tuvo en sus camadas muchos gatitos que nacieron muertos, mientras que los sobrevivientes fueron todos estériles. El experimento tuvo que finalizar porque no pudo obtenerse una cuarta generación. Por otro lado, los gatos alimentados con leche natural, no pasteurizada, prosperaron indefinidamente.[52]

Louis Pasteur fue un padre de la ciencia y salvó miles de vidas cuando nos presentó la realidad de las bacterias como mi-

---

51 Herbert Shelton. *The Hygienic Care of Children.*
52 Beatrice Hunter. *Consumer Beware.*

croorganismos invisibles. Sin embargo, la pasteurización de la leche, en definitiva, no es una solución científica, por el simple hecho de que con ella se destruyen sus enzimas y vitaminas naturales, además de alterar sus delicadas proteínas. La leche cruda contiene enzimas, vitaminas y minerales que permiten la digestión de los azúcares y grasas de la leche misma.

La leche de vaca tiene cuatro veces mayor cantidad de proteína que la leche humana y solo la mitad de carbohidratos. Dado este alto contenido proteico, se necesitan sus enzimas naturales para poder digerirlo. La pasteurización elimina las enzimas, el exceso de proteína láctea no digerida se acumula y fermenta en nuestro aparato digestivo, obstruyendo los intestinos con una especie de fango pegajoso (caseína); por acumulación, parte de estos residuos pasan al torrente sanguíneo. Conforme esta flema va incrementándose por el consumo diario de leche, el cuerpo se defiende empujándola hacia afuera a través de la piel (acné, manchas cutáneas) y los pulmones (catarros y mucosidades), mientras que el resto se descompone en el interior, formando mucosidad y dando lugar a infecciones, reacciones alérgicas y rigidez en las articulaciones por depósitos de calcio.

Luego, muchas madres de familia se preguntan por qué su hijo tiene asma, bronquitis o sinusitis: "¿Por qué mi bebé, al que alimento con leche de fórmula, tiene erupciones en la piel, problemas respiratorios, gases y cólicos abdominales?".

Muchos casos de asma crónica, alergias, sinusitis, infecciones al oído y acné han sido y pueden ser curados con tan solo eliminar los productos lácteos de la dieta, ya sean pasteurizados o no pasteurizados.

El problema más grave del consumo regular de lácteos está en la formación de mucosidad y flema en el sistema digestivo y respiratorio. Con esto toda nuestra energía vital se disipa y congestiona, y el perder peso se vuelve tres veces más difícil. Varios investigadores y nutricionistas señalan con abrumadora evidencia que los productos lácteos son un factor decisivo en el sobrepeso y la obesidad, debido a que los lácteos van creando un revestimiento de duras placas de mucus en el tracto digestivo y los nutrientes no son bien absorbidos; la carencia de estos últimos, a su vez, da mayor apetito y se come más.

Para las mentes incrédulas que necesitan probar fehacientemente que la leche es generadora de flema y congestión, tenemos el siguiente experimento: poner una cucharada de vinagre en un vaso de leche tibia, para que se separe en suero y cuajo. Colar el cuajo con un filtro de café y al cuajo (caseína) añadirle polvo de hornear y agua. El resultado es goma blanca de carpintero, hecha de la misma manera en que la hace la industria de pegamentos.

Sin extendernos en el vasto tema de la intolerancia a la lactosa, en el Perú, entre los niños con herencia genética autóctona y otros más que comparten la misma intolerancia, el programa del "vaso de leche" –implementado por el gobierno como un plan de asistencia social para la niñez de los sectores más pobres– nos ha dado una muchedumbre de pequeños con copiosas diarreas. Tan severo es el problema de la diarrea infantil que en zonas rurales se ha tenido que suspender el programa o sustituirlo por leche de cereales.

Las civilizaciones antiguas prosperaron muy bien con la leche natural y, sin ir muy lejos, nuestros abuelos también lo hicieron. La razón por la que la industria pasteuriza los lácteos obedece más a razones comerciales que de asepsia. Es mucho más rentable comercializar una leche que tenga larga duración, que una leche fresca. No pasteurizar la leche haría imposible empacarla en cajas de cartón o en latas, limitando su distribución, y ni qué decir de su exportación. La pasteurización extiende la vida de la leche, pero no hace nada por extender la vida de los seres humanos.

La pasteurización se presenta al público como una medida que protege la salud. El doctor Robert Koch, al descubrir la tuberculosis bovina, pensó que esta sería el origen de la tuberculosis humana y recomendó la pasteurización, que promovió desde el Instituto Pasteur. Pero luego, después de años de experimentos y mayor madurez científica, descubrió que sus conclusiones anteriores eran erróneas y que la tuberculosis bovina es muy distinta de la humana, que no es transmisible al hombre y no tiene

---

53 Shelton. Op. Cit.

ningún efecto sobre él. Pero, mientras tanto, la industria de los lácteos descubrió una forma de multiplicar sus ingresos y continuó con la práctica hasta hoy. La pasteurización masificó la producción, creó un monopolio y eliminó al pequeño productor.

La leche envasada en cajas de cartón, que se consigue, por ejemplo, en el mercado peruano (Laive, Gloria, Bella Holandesa), es leche UHT *(ultra heat treated)*, es decir, leche tratada a temperaturas ultra altas. Conocida como de larga duración o ultrapasteurizada, es una leche cuya temperatura se ha elevado hasta los 132° C y luego ha sido empacada en cajas estériles de cartón. Esta "ultraleche" puede conservarse durante meses sin siquiera necesitar refrigeración. Mejora mucho el negocio industrial, pero decae más la salud de nuestros hijos. Larga vida de la leche, pero corta vida del hombre.

La verdad es que la leche es un líquido precioso y delicado, y no es posible elevar su temperatura por encima de la temperatura de la sangre sin alterar sus propiedades nutritivas.

EFECTOS DE LA PASTEURIZACIÓN EN LA LECHE

- La albúmina y la globulina, dos proteínas de la leche, se coagulan y descomponen.
- Se produce sulfuro de hidrógeno.
- Hay desaminación de ciertos aminoácidos.
- La grasa de la leche se vuelve menos asimilable
- Las sales de calcio son transferidas a un estado insoluble y se tornan menos disponibles.
- Casi todo el Yodo se pierde por volatilización.
- La lecitina es destruida por la división del ácido fosfórico.
- La lactosa se carameliza.
- El ácido cítrico es destruido.
- El ácido carbónico es destruido.
- Las enzimas y vitaminas son destruidas.
- El poder bactericida de la leche se pierde.
- La vitamina B12 y B1 se destruye la mitad o tercera parte.
- La vitamina C se destruye al llegar a los 67°C.

Ahora veamos textualmente lo que hasta hace un tiempo decía en el cartón de las leches Laive y Gloria:

> Leche ultrapasteurizada LAIVE es pura leche fresca natural, con todas sus proteínas y vitaminas. Trabajada bajo el proceso de alta temperatura 145° C por 3 segundos, lo que asegura su total calidad, sabor y valor nutritivo.

> Ultra pasteurizada por el proceso UHT *(Ultra Heat Treated)* a 137° C entre 2 y 4 segundos. Leche entera GLORIA es 100% pura de vaca porque mantiene intacta su frescura, cremosidad, cualidades alimenticias y nutritivas.

Para los que piensan que todo lo explicado sobre pasteurización es muy interesante y bonito pero exagerado ya que es una locura consumir una leche que podría ser causa de brucelosis, tifoidea u otras epidemias, sépanse los siguientes datos provenientes del eminente nutricionista Herbert M. Shelton. Las publicaciones oficiales del Servicio de Salud Pública de Estados Unidos señalaron que durante veintidós años se han reportado 37 956 casos de distintas enfermedades originadas por la leche y los subproductos lácteos, tanto pasteurizados como no pasteurizados. Es posible estimar, no adivinando sino por las últimas estadísticas disponibles, que los casos en los que se contrae alguna enfermedad por el consumo de leche no pasteurizada son el 0,95% y las muertes el 0,0022%. Prueba de ello es que en las zonas rurales, donde se consume más la leche no pasteurizada, hay menos incidencia de enfermedades contagiosas por productos lácteos que en las grandes ciudades, donde toda la leche es pasteurizada. La leche sale de la vaca sin enfermedades, las infecciones ocurren durante la manipulación, en los recipientes y envases que se utilizan.[54]

La pasteurización de la leche se realiza con el único fin de eliminar las bacterias de la leche, pero este propósito no siempre se logra. La prueba está en la presencia de bacterias de ácido láctico en la leche pasteurizada y lo comprobamos en la putrefacción de la leche y en el microscopio. El bacilo de la tuberculosis y el ba-

---

54 Idem.

cilo de la tifoidea tampoco son enteramente erradicados con la pasteurización. Por otro lado, las esporas del bacilo Welsh se multiplican más rápido en la leche pasteurizada que en la leche cruda, esto se debe a que el poder bactericida de la leche se pierde con la pasteurización. Sabemos que la leche cruda tiene un agente antibacterial natural que se destruye con la pasteurización. Igualmente, el bacilo del ácido láctico retarda la multiplicación de otras bacterias y a estos se los conoce como protectores naturales.

LECHE Y LACTANCIA

Volviendo a las mujeres, sabemos que la leche debe fluir fuera de su cuerpo cuando son adultas, nunca hacia dentro. Los efectos nocivos de la leche pasteurizada son agravados por las hormonas sintéticas que se suministran a las vacas para aumentar su producción. Estas hormonas causan estragos en el delicado equilibrio hormonal de la mujer. En su libro *Food and Healing*, la nutricionista Annemarie Colbin nos dice:

> El consumo de lácteos, incluyendo leche, queso, yogurt y helados, parece estar fuertemente vinculado a varios trastornos del sistema reproductivo femenino. Esto incluye tumores en el ovario, quistes, descensos vaginales e infecciones... Se han visto casos de fibromas tumorales que se disuelven, de cáncer que se detiene, de irregularidades menstruales que se corrigen, incluso de infertilidad que se puede remitir muchas veces al suspenderse los lácteos de la dieta.

Las hormonas de la leche

La hormona de crecimiento bovino (HCB) es una hormona natural producida por la glándula pituitaria de la vaca y que está presente en su leche; es la hormona que permite el crecimiento del becerro, pero en el hombre y, especialmente, en la mujer crea desarreglos hormonales. Se ha demostrado que significativamente incrementa las hormonas en el ser humano, hace que las niñas experimenten la menarquia a edades muy tempranas, pueden tener rasgos de pubertad desde los 3 años e incrementa la probabilidad de sufrir cáncer de mama. Ahora no solo tenemos la

HCB natural, también las ganaderas añaden la hormona llamada "somatropina" bovina recombinante (rBST) –prohibida en Japón y la Unión Europea, pero utilizada en Estados Unidos y Latinoamérica– también comercializada con el nombre de "lactotropina", una hormona equivalente a la HCB, un duplicado sintético que es inyectado regularmente para incrementar la producción de leche entre 15 y 40%. La somatropina (rBST) actúa promoviendo el crecimiento en el ganado joven y también incrementa la producción de leche, aumentando la eficiencia productiva del hato lechero en 3-5 kg/vaca/día.

Existen veintiún efectos adversos de la somatropina (rBST) en la vaca misma, lo que incluye quistes al ovario, desórdenes uterinos, embarazos con anomalías. Los laboratorios vendedores de esta hormona sintética están obligados a mencionar los efectos adversos de sus productos en las vacas, pero los ganaderos no están obligados a informar de ese efecto al público, ni tampoco el que tiene sobre el ser humano.

Muchos ganaderos han reportado que utilizar esta hormona incrementa las infecciones en las ubres de las vacas, la mastitis, lo cual genera leche con pus, razón por la que muchos ganaderos han dejado de utilizar esta hormona, pero otros ganaderos responden a esta situación incrementando la cantidad de antibióticos que suministran y estos residuos también llegan al hombre que bebe la leche.

Otro serio riesgo para la salud de la leche que contiene esta hormona artificial es la incidencia de cáncer ya que esta leche contiene niveles altos, entre 25 y 70% por encima de lo normal, de la hormona llamada "factor de crecimiento parecido a la insulina tipo I" (IGF-1). Esta hormona promueve la división celular y está asociada al cáncer. El hombre con elevados niveles de IGF-1 tiene cuatro veces mayor probabilidad de contraer cáncer de próstata y las mujeres en premenopausia con niveles elevados de IGF-1 tienen siete veces mayor probabilidad de desarrollar cáncer de seno.

La hormona conocida como insulina bovina es una hormona muy parecida a la insulina humana pero lo suficientemente diferente como para crear anticuerpos en el hombre contra la insulina bovina. Buscando defenderse de sustancias extrañas estos anticuerpos atacan la insulina bovina pero también la humana y los islotes de Langerhans del páncreas, que es donde se produce nuestra insulina, ocasionando la enfermedad autoinmune conocida como diabetes insulina dependiente de tipo I.

Puerto Rico es un país que tiene poca costumbre de lactancia materna, mayoritariamente se recurre a la leche de fórmula como la leche básica, pero en Cuba hay una práctica universal de la lactancia y se promueve esta por el sistema de salud pública. Las estadísticas de salud nos dicen que Puerto Rico tiene diez veces mayor incidencia de diabetes juvenil comparado con Cuba.

Disponibilidad de calcio en la leche de vaca

Otro problema de la leche es la proporción entre fósforo y calcio. La leche de vaca contiene 97 mg de fósforo por cada 100 g, comparada con tan solo 18 mg/100 g en la leche materna. Niveles altos de fósforo inhiben la absorción del calcio. El doctor Frank Oski, jefe del departamento de pediatría del centro médico de la Universidad Estatal de Nueva York, nos dice que solo las comidas con una proporción de calcio/fósforo igual o superior que 2 a 1 pueden ser utilizadas como fuentes primarias de calcio. La leche de vaca tiene una proporción de 1,27 a 1. Por lo tanto, se concluye que la leche de vaca no es fuente primaria de calcio. Por otro lado, la leche humana tiene una proporción de 2,35 a 1.

La costumbre de darle leche animal al bebé es europea y bastante reciente en la historia. Ni en Asia, África ni América prehispánica y colonial existió esta tradición. Antiguamente, la alternativa siempre era acudir a la nodriza. Pero ahora la vaca no solo es la madrina animal de una gran comunidad de hijos adoptivos sino que se nos ha hecho creer que el único mamífero sobre la faz de la tierra que nunca debe ser destetado es el hombre, desde la lactancia hasta la tercera edad.

La leche de vaca contiene proteínas inferiores y diferentes de las que se encuentran en la leche materna; esas proteínas son óptimas para el becerro, pero peligrosas para el bebé. En definitiva, la leche de conejo no sirve para alimentar al gato, la de gato es inadecuada para el becerro, la leche de vaca es inservible al hipopótamo, al cerdo o a cualquier cuadrúpedo, y mucho menos aún puede servirle a un bebé. A cada especie se le debe respetar su leche. La leche materna contiene el ácido dihomogamalinolénico, el cual no se encuentra en la leche de ningún animal ni en ninguna comida y es una grasa esencial para el desarrollo del sistema nervioso del bebé.

La leche materna es un fluido vivo, especialmente apto para nutrir las exigencias del delicado crecimiento del cerebro infantil, y esto no lo puede hacer la leche de vaca o de fórmula. Con el destete, la prioridad deben ser los jugos de fruta, en particular el jugo de uva y el agua de coco, jugos de granos, jugos de semillas como la linaza o la almendra y las frutas secas. La leche de coco tiene una sorprendente similitud en composición mineral con la leche materna. En las islas de Hawai hay madres que alimentan a sus hijos con nada más que leche de coco como líquido.

La leche de vaca tiene cuatro veces más proteínas que la leche materna y, sin embargo, el desarrollo y crecimiento del bebé alimentado con leche de vaca se ve retardado, desde todo punto de vista, salvo en altura física. Quizá la pediatría antigua solo consideró este factor, el de la altura, como si nuestros bebés fueran animales de engorde, pero, ¿acaso se evalúan los rasgos más sutiles de su desarrollo, su bienestar emocional y espiritual, la bioquímica de sus delicadas neuronas y células o su equilibrio hormonal?

Las vacas lecheras no son alimentadas para que se pueda obtener una máxima calidad de leche, sino para obtener una máxima cantidad; son forzadas a producir inmensas cantidades de leche, muy por encima de lo normal. Este régimen, sostenido por varios años, o más bien durante toda su vida, debilita mucho al animal y hace imposible que tenga un mínimo nivel de salud, acortando su ciclo vital y exponiéndolo a todo un regimiento de enfermedades que no se ve en las vacas de campo. En consecuencia, se les da medicinas y antibióticos al por mayor. ¿Qué mujer podría aguantar diez años sin secarse, sin descansar de producir leche, con una dieta artificial, incesantes antibióticos y pariendo cada año?

La leche de vaca está destinada a los becerros y al sistema digestivo de los rumiantes, (la vaca por ejemplo tiene cuatro estómagos). Los bebés deben consumir leche materna hasta el destete, la naturaleza ha diseñado ambos tipos de leche y de sistemas digestivos, respectivamente. El ser humano es el único ser vivo que continúa bebiendo leche más allá de los primeros meses de vida, y el único que lo hace de otra especie. El becerro es el único heredero legítimo y beneficiario de la leche de vaca. Sin embargo, en las granjas de producción, el becerro solo alcanza a succionar la leche de su madre durante sus primeras 24 horas de vida; la vaca madre luego llora y gime de dolor por reencontrar a su becerro.

Los productos lácteos que ofrecen cierta seguridad son la mantequilla fresca y los cultivos de yogurt, los cuales han sido predigeridos por lactobacterias, pero aun así deben consumirse con moderación y prepararse con leche no pasteurizada. La leche cruda puede ser un alimento bueno en la dieta si se usa con bastante moderación, mejor aun si se evita. No hay que ser inflexibles y en muchas oportunidades no podremos evitar su ubicuidad, pero no se debe poner la leche en el pedestal del alimento perfecto.

LECHE COMO FUENTE DE GRASAS

La leche materna contiene 4,4% de grasa y es una rica fuente de ácidos grasos esenciales, entre ellos el ácido gamalinolénico y el ácido dihomogamalinolénico, el cual no se encuentra en ninguna otra leche animal o alimento.

La composición de grasas esenciales de la leche materna varía según la dieta de la madre lactante.

TIPO DE DIETA	OMEGA 6	OMEGA 3
Dieta omnívora	6,9%	0,8%
Dieta japonesa	13,0%	2,5%
Dieta vegetariana	31,7%	1,5%

La dieta vegetariana suele ser mucho más rica en ácidos grasos esenciales; más aún, la grasa saturada de las carnes ya no interfiere con el metabolismo de estos. Pero las mujeres vegetarianas tienen también una desventaja en los niveles de DHA (ácido docohexanoico), que se obtiene de la carne de pescados de aguas frías y de las algas.

PORCENTAJE DE DHA POR GRUPO HUMANO[55]	
Malasia	0,9%
India	0,9%
China	0,7%
EE.UU.	0,3%
Vegetarianos	0,2%

Se puede concluir que la mejor composición de la leche materna provendría de una dieta vegetariana si se incluyeran pescados de carne roja, ricos en aceites. Estaríamos hablando entonces de una dieta ictiovegetariana. Aunque esto no es del todo cierto, conviene decir que si la dieta es selectiva y se consumen alimentos con aceites omega 3 (linaza, semilla de calabaza, algas, soya, germen de trigo), se podrá sintetizar DHA dentro del metabolismo del bebé o de la madre, porque a partir de omega 3 se sintetiza DHA. Omega 3 es el aceite crítico para el desarrollo del sistema nervioso del bebé.

El perfil de grasas de la leche bovina lamentablemente deja mucho que desear. Todos los productos lácteos son muy pobres en ácidos grasos esenciales, no contienen nada que ayude a resolver los problemas de grasa en el ser humano; más bien, las grasas de la leche, si se consumen en exceso, contribuyen a problemas de arteriosclerosis, peroxidación lípida, flema y sobrepeso. Baste decir que la leche de vaca contiene distintas grasas, entre ellas el ácido graso butírico, del inglés *butter* ("mantequilla").

---

55 S. Innis. "Essencial fatty acid requirements in human nutrition".

La leche en polvo, junto con el huevo en polvo, lidera entre los alimentos con alto contenido de colesteroles oxidados (oxiestroles), sustancias muy agresivas para las arterias y el corazón, iniciadoras de la arteriosclerosis. Por lo tanto, la publicitada leche omega (en polvo), que supuestamente protege el corazón, es una contradicción, sería como comprar un paquete de cigarrillos con suplementos de vitamina C para beneficiar los pulmones. Por otra parte, la leche omega tiene mínimas cantidades de omega 3, despreciables a efectos de salud, y relativamente mucha mayor concentración de omega 6. Una proporción de 1 a 17, entre omega 3 y omega 6 está lejos del ideal 1 a 1 (ver "Grasas del cáncer").

Los análisis de leches animales nos dicen que la leche de burra y yegua son las únicas que son ricas en ácidos grasos esenciales. La leche de yegua tiene 38,4% de grasas omega 3, se comenta que esta leche fue el secreto de la fuerza de las hordas guerreras de los mongoles y Gengis Khan. Siempre se dice que la leche de cabra es superior a la de vaca por su mayor similitud con la leche humana. En cuanto a grasas se refiere, es de cadena más corta, más fácil de asimilar, pero igualmente muy pobre en ácidos grasos esenciales.

Las personas que piensan que deben tomar yogurt luego de un curso de antibióticos, ya que necesitan restablecer su flora intestinal, también cometen un error común. El yogurt, para contener lactobacterias para la flora intestinal, debe ser hecho en casa y consumirse dentro de las primeras 24 horas; el que se consigue en el supermercado es altamente sintético y no contiene cultivos vivos de lactobacterias. Una solución mucho más eficiente y realista al problema de la flora intestinal es la que ofrece la col.

La col puede consumirse en yogurt casero (ver p. 227) y también es útil consumirla regularmente cruda, por su altísimo contenido de lactobacterias; a su vez, la col es extraordinaria para la gastritis y para curar úlceras gástricas. Los gastroenterólogos se han dedicado a estudiar sus propiedades sorprendentes sobre estas úlceras. Descubrieron, entre sus principios, lo que luego llamarían vitamina U (de úlcera), una ignorada vitamina que tiene la función de proteger las mucosas del estómago y el tracto digestivo, cicatrizando y combatiendo la acidez. La col es una verdura alcalina por excelencia.

Para terminar con el tema de la leche, medio en broma y medio en serio, se hace un llamado al sentido común con la siguiente pregunta subjetiva, ¿a quién se le hace agua la boca cuando, caminando por el campo, ve la ubre de una vaca? Difícilmente se produciría tal situación y, sin embargo, más acorde con nuestra herencia biológica, la leche materna viene en hermosos contenedores. Pero aun así, si algún adulto tomara la iniciativa audaz de beber leche materna, inmediatamente se le daría todo tipo de calificativos deshonrosos y llegaríamos a cuestionar seriamente su salud mental.

Si olvidamos todos los argumentos mencionados y afrontamos el tema desde un punto de vista meramente práctico y científico, la leche no resulta ser siquiera una rica fuente de calcio comparada con otros alimentos más digeribles y saludables en los que existen otros nutrientes que actúan sinérgicamente, como lo vemos en el siguiente cuadro, en el que podemos comparar el contenido de calcio de la leche con el de otros alimentos.

100 GRAMOS	CONTENIDO DE CALCIO
Leche	118 mg
Brócoli	130 mg
Perejil	203 mg
Amaranto (kiwicha)	222 mg
Higos secos	230 mg
Almendras	254 mg
Sardinas	400 mg
Ajonjolí	1160 mg

Otras fuentes bibliográficas le asignan hasta 1500 mg de calcio/100 g al ajonjolí (semillas de sésamo); indiscutiblemente el ajonjolí es el legítimo rey del calcio. Esta semilla también nos brinda una buena fuente de ácidos grasos esenciales, además de contener vitamina E, vitamina B3, hierro, flúor, magnesio, potasio, yodo, cobalto y zinc. Por otro lado, es una buena fuente de proteínas y contiene muchos aminoácidos esenciales, incluida la metionina, que no suele encontrarse en vegetales. La metionina nos ayuda a expeler metales pesados tóxicos.

Debe saberse que todas las verduras verdes y oscuras son fuente óptima de calcio; es de ahí de donde lo obtienen la vaca y también otros animales de esqueleto enorme como el elefante y la jirafa. De adultos, ellos nunca tomaron leche y hasta ahora nadie ha reportado haberlos visto tomando suplementos de tiza o rumiando pizza con queso.

Las verduras verdes oscuras, como los berros, la alfalfa, el perejil y la acelga, contienen clorofila además de calcio. En el centro de la molécula de la clorofila se encuentra el valioso magnesio, que según estadísticas de salud es más carente que el calcio en la dieta, y es tan o más importante que el calcio para prevenir la osteoporosis.

En un estudio hecho en Londres se compararon diferentes grupos de mujeres con osteoporosis. Se encontró que ninguno de los grupos presentaba bajos niveles de calcio, pero sí de otros nutrientes vitales para la formación de hueso, como magnesio y zinc. El cuerpo requiere el doble de magnesio con respecto del calcio para que la bioquímica de la formación ósea funcione óptimamente y el 60% de la reserva de magnesio en el cuerpo está en los huesos. Fuentes ricas del mismo son las verduras verdes, tofu, nueces, higos y limones.

Hubo otro estudio en el que dos grupos de mujeres fueron examinadas respecto de su densidad ósea. A un grupo se le administró TRH y magnesio; al otro grupo, TRH únicamente. Después de nueve meses, la densidad ósea de las mujeres que solo tomaron TRH no mostró ningún aumento, mientras que los huesos de las que tomaban magnesio aumentó en 11%.[56]

---

56 Glenville. Op. Cit.

Se han mencionado varios inconvenientes de la leche como fuente de calcio. Para ampliar el tema veamos ahora los resultados de algunas investigaciones recientes:

> En 1997, los resultados de un proyecto masivo de investigación, el estudio de salud de las enfermeras de Harvard, que duró doce años e involucró a 780 000 enfermeras, aportó más evidencia epidemiológica... Al concluir el estudio D. Feskanich, W. Willet y sus colegas de Harvard encontraron una correlación: las enfermeras que tomaban más leche, dos o más vasos por día, se fracturaron más huesos.[57]

> El doctor americano William Ellis afirma que, después de realizar más de 2 500 análisis de sangre, halló que los niveles más bajos de calcio correspondían a personas que tomaban tres, cuatro o cinco vasos de leche al día.[58]

Estados Unidos exhibe los niveles más altos de consumo de leche pasteurizada, pero también la mayor incidencia de osteoporosis. Se consumen más productos lácteos en EE.UU. que en el conjunto de los demás países del mundo e igualmente los estadounidenses lideran el mundo en osteoporosis y otras enfermedades degenerativas. En la China no se consume prácticamente nada de leche, no hay tal costumbre, y parejamente el pueblo chino no tiene problemas de osteoporosis o cáncer de mama.

La osteoporosis obedece a un conjunto de razones; los factores de riesgo son: sexo femenino, raza caucásica y asiática, vida sedentaria, depresión, toxicidad con metales pesados (en particular las ollas de aluminio), uso crónico de antibióticos de amplio espectro, fumadores y consumidores regulares de café, dietas ricas en fósforo, mujeres multíparas y mujeres nulíparas.

El apoyo nutricional contra la osteoporosis debe incluir comidas ricas en minerales, especialmente fuentes no lácteas de calcio y además magnesio, boro (necesario para absorber el calcio), manganeso (necesario para producir la matriz de colágeno de los huesos), zinc (necesario para el crecimiento de los huesos), cobre

---

57 Will Hively. "Nuevas preocupaciones sobre la leche".
58 Olga Cuevas. *El equilibrio a través de la alimentación.*

(optimiza absorción de calcio), cromo (normaliza los niveles de azúcar en la sangre; la mala regulación de azúcar fomenta la pérdida de masa ósea), ácidos grasos esenciales (necesarios para la producción de hormonas), vitamina K (necesaria para producir osteocalcina, una proteína que incrementa la absorción de calcio; esta vitamina es producida por la flora intestinal; debe tenerse cuidado con los antibióticos y el agua con cloro) y vitaminas del complejo B.

Alimentos fuentes de calcio

100 GRAMOS	CONTENIDO DE CALCIO
Germinado de pasto de trigo	514 mg
Algas kombú	900 mg
Algas kelp	1099 mg
Algas wakame	1300 mg
Hojas de coca	2097 mg

Los alimentos mencionados en el cuadro anterior son otras fuentes de calcio menos comunes y accesibles a la canasta familiar. Algunas personas objetarán la coca como fuente de calcio. De las uvas obtenemos vino y de la coca obtenemos algo más fuerte aun, pero la coca y las uvas son inocentes de los usos del hombre y ambas son un alimento extraordinario. La coca contiene proteínas en un 19%, tan solo ese contenido proteico de la coca es un tema de admiración de muchos científicos; asimismo, la coca es una planta muy rica en clorofila y del magnesio que este sujeta, además de una larga lista de vitaminas y minerales. Para los que sufren de fatiga resulta siendo un afamado tónico restaurador. Personas de edad con osteoporosis y cansancio pueden beneficiarse de la harina de coca como suplemento diario de la dieta. Igualmente, se han visto buenos resultados con casos de asma, procesos inflamatorios e infecciones crónicas.

La hoja de coca se enfrenta a un marco legal internacional desfavorable que obstaculiza su comercialización y uso medicinal, pero al margen de los razonamientos políticos, nuestro compromiso con la verdad y las investigaciones médicas recientes nos

La gran revolución de las grasas

obligan a decir que la hoja de coca es un alimento de extraordinario valor nutricional.

La hoja de coca con sus catorce alcaloides es un excelente remedio contra la depresión, pero si esta pócima milenaria, con su vasta concentración de vitaminas y minerales, la aislamos para quedarnos con tan solo uno de sus alcaloides (la cocaína), el espíritu de la planta queda fraccionado y obtenemos resultados siniestros, paralelamente cosechamos sujetos fragmentados y aislados, sin la bendición de una integridad de su alma y conciencia. Dentro de cada planta se teje una sinfonía de sustancias químicas armónicas que no debemos quebrar.

Todo alimento, hasta el más cándido, se volverá toxico si interferimos y aislamos sus componentes. Pero aun así la industria farmacéutica y la industria de suplementos vitamínicos está empeñada en vendernos sus productos químicos fraccionados. Cada fruta y verdura trae un conjunto equilibrado de nutrientes, pero cuando consumimos tan solo una vitamina o un mineral, la concentración de este se eleva en tal desproporción con respecto del resto que resulta desequilibrando todo el balance de minerales o vitaminas del plasma sanguíneo y el "remedio" es peor que la enfermedad.

Poniendo de lado nuestro amor a la vida sana, el consumo de leche resulta poco respetuoso de la ecología. En el Perú, por ejemplo, tan solo el 5,9% del territorio nacional es apto para la agricultura; el resto es desértico, montañoso-andino o selva amazónica, donde los suelos son demasiados ácidos para aprovecharse. Pero no se alarmen: ese pequeño porcentaje de tierra cultivable puede alimentar a todo el país, y quizá más. Sabemos, sin embargo, que la población mundial crece a un ritmo vertiginoso, y que en un futuro no muy lejano faltará espacio. Esto ya está ocurriendo en la Argentina, en donde el ganado tiene que desplazarse cada vez más lejos para ceder espacio a las demandas crecientes de la agricultura. En Inglaterra, alrededor del 60% del territorio es utilizado para criar ganado vacuno, ovejas, puercos o aves. El costo de producir un kilo de carne o un kilo de queso es mucho mayor en espacio, tiempo y consumo de agua, que el de producir un kilo de proteína vegetal de la misma calidad. Quizá en el futuro, para alimentar a la humanidad, tengamos que prescindir un poco de la leche, no por ética, salud o religión, sino por economía, geografía y sobrepoblación. Un importante porcentaje de la deforestación en el mundo ocurre para obtener espacio para criar ganado. Recuérdese que cada año un área similar a la de toda Bélgica es desforestada.

Para terminar, quiero hacer notar que el que escribe lo hace de manera independiente, y que no comercializa limones, ajonjolí, calcio, magnesio o zinc.

CONSEJOS SALUDABLES PARA OBTENER EL CALCIO

ALIMENTO	CONSUMO
Harina de coca	Añadir diariamente una cucharada de harina de coca al jugo de fruta, a la avena, etc.
Gomasio	Es el resultado de moler y pulverizar en partes iguales sal marina y ajonjolí. Esta sal mineralizante puede usarse para salar los alimentos en la cocina y en la mesa.
Ajonjolí	Una dosis diaria de 500 mg de calcio equivaldría a 38 g de semilla de ajonjolí. Esto corresponde a seis cucharadas rasas de semilla, pero nuestra dieta diaria también tiene otras fuentes de calcio. Por lo tanto, una a tres cucharadas diarias de semilla es suficiente. Estas se pueden espolvorear sobre ensaladas, arroz, desayunos. El ajonjolí preferiblemente debe ser molido para obtener máxima asimilación.

Alimento	Consumo
Tahini o pasta de ajonjolí	El tahini es mantequilla de ajonjolí, similar a la mantequilla de maní. Se puede untar sobre pan, con miel de abeja. Se puede poner una cucharada de tahini en la vinagreta, haciendo una salsa cremosa y espesa. Para preparar la vinagreta solo debe poner dos partes de aceite de oliva extravirgen por una parte de vinagre de manzana, una cucharada de tahini, sal, pimienta, mostaza y ajo al gusto.

Fórmulas de leches para bebés en destete y niños

✍ Leche de ajonjolí ✍

$1/2$ taza de ajonjolí
1 ó 2 tazas de agua
Una pizca de sal

Remojar toda la noche el grano. Descartar el agua de remojo. Licuar en agua tibia y colar. Añadir sal.

✍ Leche de almendra ✍

$1/4$ de taza de almendra
2   tazas de agua tibia

Remojar toda la noche el grano. Descartar el agua de remojo. Licuar en agua tibia y colar. Añadir sal.

❧ Leche de granos ❧

$1/2$ taza de semilla (linaza, ajonjolí, girasol, calabaza)
1   taza de agua tibia
Una pizca de sal

Remojar toda la noche. Descartar agua de remojo. Licuar en el agua tibia, colar y añadir sal. Usar pulpa para pan, galletas, etc.

❧

❧ Leche de granos cocidos ❧

1   taza de grano remojado (soya, trigo, cebada, arroz, quinua, kiwicha)
7-10 tazas de agua

Hervir el grano a fuego lento por dos horas. Licuar y colar. Administrar principalmente a niños mayores de 18 meses o que ya tengan el primer molar.

❧

❧ Leche de granos germinados ❧

1 taza de grano (avena, quinua, frejol chino, kiwicha, trigo, arroz, mijo, cebada)
2 tazas de agua tibia

Germinar por tres días. Remojar toda una noche el grano, descartar el agua de remojo y esperar a que germine, procurando que el recipiente mantenga cierta humedad. Licuar con agua y colar. Usar pulpa para pan, sopas, etc.
(Un grano al estar germinado aumenta en un 600% su contenido vitamínico y mineral).

❧

✽ Leche de cereales ✽

$1/3$ taza de arroz integral o avena
$1/3$ taza de quinua o soya
$1/3$ taza de linaza

Remojar todos los ingredientes por seis horas o más. Eliminar el agua de remojo. Añadir 6 a 7 tazas de agua por cada taza de grano. Poner en una olla los ingredientes y calentar hasta que el agua esté a punto de hervir, después cocinar a fuego lento por dos horas. La linaza es un grano que no se debe hervir, ya que se perderían las propiedades de sus ácidos grasos esenciales, por lo tanto el grano debe licuarse directamente, colar y añadir a los otros granos cocinados. Una vez mezclados todos los cereales, se licuan hasta formar una crema. Colar. Añadir agua de ser necesario.

◦◦◦

Receta para restablecer la flora intestinal

✽ Yogurt de col ✽

Cortar unas cuatro rodajas de col y dejarlas remojando en agua por tres noches; luego licuar y beber. Guardar una copita para hacer el cultivo nuevamente, agregándola a otra cantidad de col remojada en agua; esta podrá consumirse al día siguiente. Repetir durante toda una semana hasta restablecer la flora intestinal.

◦◦◦

CAPÍTULO DOCE

Adelgazando con grasas

Puede parecer insólito pero está demostrado que las grasas esenciales son excelentes para el propósito de perder peso. Las personas con obesidad tienen como común denominador tener niveles muy bajos de ácidos grasos esenciales. La "grasofobia" moderna nos ha colmado de productos dietéticos y lo escaso de conciencia que toma el hombre al momento de seleccionar sus compras es evidente en su afán de eludir la grasa. Impulsados por justificaciones estéticas y nutricionales, equivocadamente hemos asociado todas las grasas con niveles altos de colesterol y sobrepeso.

Muy a pesar de la invasión de productos dietéticos, descremados y bajos en calorías, la obesidad en el mundo está en vertiginoso aumento, la población de obesos se ha duplicado en los últimos veinte años; incluso en África, el continente con mayor hambruna, las zonas urbanizadas presentan tendencia a la obesidad. Expertos predicen que la diabetes se triplicará dentro de los próximos quince años, cuando se llegará a los 320 millones de personas afectadas.

Al comparar el perfil de grasa corporal de distintas poblaciones, encontramos los niveles más bajos de ácidos grasos esenciales en los sujetos obesos. Compárese un 9,8% en sujetos obesos y 27,8% en vegetarianos normales (ver tabla pág. 37).

Algunas investigaciones en torno al aceite de prímula nos dan datos colaterales importantes. El uso de este aceite en el tratamiento de la tensión premenstrual logró no solo mejorías en la condición clínica de las pacientes sino que además tuvo un marcado efecto adelgazante. Cuando se usó el aceite de prímula con pacientes esquizofrénicos, se obtuvo el mismo resultado colateral. Otros estudios con animales han probado que tanto el omega 3 como el omega 6 tienen la habilidad de combatir la obesidad, siendo el omega 3 más efectivo para este propósito.

A un grupo de ratones de laboratorio se lo alimentó con una dieta rica en grasas; como resultado, no sorpresivo, se encontró una tendencia a la obesidad y la diabetes. Se dividieron entonces en dos grupos a los que se les suministró la misma cantidad de calorías y porcentajes de grasa. Un grupo obtuvo omega 3 del aceite de pescado y al otro grupo se le dio aceites inferiores, principalmente aceite de soya comercial y grasa saturada. Los ratones del segundo grupo engordaron significativamente más; la diferencia en peso entre los ratones, transportada al ser humano, equivale a un hombre de 67,5 y otro de 101,25 kilos.

LA INTELIGENCIA DEL APETITO NATURAL

Entre las razones por las que comemos, no solo está la de obtener más calorías; nuestro cuerpo también nos hace sentir apetito para obtener los nutrientes esenciales que necesita. A veces el cuerpo está hambriento y ávido de vitaminas, minerales y ácidos grasos, y de ser necesario está dispuesto a comer una tonelada de comida hasta lograr obtenerlos. Recuérdese que entre los nutrientes más deficientes de la dieta promedio están las grasas esenciales.

Innumerables personas han manifestado que cambian sus hábitos alimenticios de una manera positiva después de consumir una dieta rica en vitaminas, minerales y ácidos grasos esenciales. Sin darse cuenta comen menos, al sentarse a comer se satisfacen con menos y no tienen hambre sino hasta muchas horas después de lo que normalmente ocurría, cuando surgían las conocidas ansiedades de comer. Se han reportado casos de mujeres resistentes a adelgazar en donde la suplementación diaria de tres cucharadas de aceite de linaza a su programa de dieta, fue la clave para empezar a perder peso.

LAS GRASAS COMO REGULADORES DEL AZÚCAR EN LA SANGRE

Las grasas esenciales de alta calidad, junto con el cromo, le proporcionan al cuerpo un equipo de los más poderosos reguladores de los niveles de azúcar en la sangre y esto facilita una permanente sensación de llenura y saciedad, ya que si bajan los niveles de azúcar naturalmente se detona el reflejo del apetito. Como se ve, ciertas grasas sanas activan la quema de estas y no su almacenamiento, y así impulsan la habilidad natural del cuerpo para consumir sus reservas de grasa.

Si las grasas esenciales están ausentes en el cuerpo, se pierde el efecto estabilizador del azúcar y las personas están expuestas a antojos irreprimibles de azúcares, con lo cual terminan sucumbiendo ante harinas o cualquier tipo de azúcar que las ayuda a nivelar sus niveles de glucosa en la sangre. Estos antojos son una necesidad vital y no una falta de voluntad. Estas comidas dulces producen un rápido ascenso de azúcar en la sangre, lo cual aumenta la hormona promotora de la grasa: la insulina. El problema es que los altos niveles de insulina bloquean la habilidad del cuerpo para deshacerse de la grasa almacenada y originan una rápida caída en los niveles de glucosa en la sangre, lo que provoca luego más hambre. Una de las principales causas del sobrepeso está en los volubles niveles de azúcar en la sangre, niveles elevados seguidos de caídas súbitas en la lectura de glucosa en el plasma sanguíneo.

RITMO METABÓLICO, GRASAS Y NUESTRO CARBURADOR FISIOLÓGICO

La cantidad de emisión de nuestro fuego interno, es decir, nuestra energía, se conoce como ritmo metabólico y es la intensidad con que el cuerpo está realizando su combustión. Al agotarse el combustible baja el ritmo metabólico, tenemos hambre, mareo o debilidad, y entonces buscamos combustible o prooxidantes. Los principales prooxidantes son glucosa, ácidos grasos y oxígeno.

En el cuerpo debe existir una combustión (oxidación) sostenida para darnos energía, pero esta misma combustión puede estar exaltada con chispazos inoportunos llamados radicales libres. Para combatir los radicales libres necesitamos la ayuda de antioxidantes, los cuales moderan y contienen el fuego y le dan mejor pureza de brillo. Los antioxidantes regulan nuestras bujías internas y evitan los daños de desatinadas igniciones.

Grosso modo, hay dos principales aproximaciones al tema de adelgazar: podemos disminuir la ingesta de calorías, con lo cual también bajamos nuestro ritmo metabólico y la quema de las calorías, o podemos aumentar el ritmo metabólico y quemar más calorías, ya sea con ejercicio o con ciertos alimentos que poseen esta propiedad.

Mientras más lento es nuestro ritmo metabólico, menos calorías quemamos y por lo tanto es más fácil engordar. Una dieta basada en conteo de calorías y selección de comidas de baja densidad calórica tiene el inconveniente de ralentizar nuestro motor fisiológico. Además, muchas de estas "bajas calorías" son calorías blancas, harinas blancas, aceites blancos (refinados), azúcar blanca, lo cual también deprime el metabolismo ya que para que los combustibles puedan actuar se requiere de vitaminas y minerales.

La mejor manera de incrementar el ritmo metabólico es por medio de ácidos grasos esenciales, vitaminas del complejo B, yodo, calcio, manganeso, potasio, hierro, magnesio y, por supuesto, actividad física. Las otras opciones para modificar el ritmo metabólico no están plenamente en nuestro poder, como nuestros genes y la actividad de la glándula tiroidea.

Los ácidos grasos esenciales, en particular los omega 3 y sus derivados, son combustibles que le dan al cuerpo un ritmo metabólico continuo y sostenido, en comparación con la breve y súbita llamarada que da la glucosa. Los ácidos grasos esenciales logran incrementar la oxidación y el ritmo metabólico, lo que los hace muy útiles para bajar de peso. Hay que advertir que nuestro cuerpo quema grasas esenciales solo cuando hay un excedente de las mismas. Parece paradójico que un tipo de grasa ayude al cuerpo a quemar reservas de grasa más rápidamente. La explicación es que se trata de una grasa especial que activa y acelera todo el sistema.

El tipo de grasa que consumimos es uno de los factores que determina el ritmo metabólico del organismo. En palabras de mecánica automotriz: el aceite que consumimos regula nuestro "carburador" fisiológico, modifica el octanaje de nuestro combustible. Esto representa una clave muy importante para aquellas personas que quieren perder peso.

Si consumimos principalmente grasas saturadas, como las que contienen las carnes y frituras, en realidad estamos desacelerando nuestro ritmo metabólico. Mientras mayor sea el consumo de grasas insaturadas (vegetales), respecto del de las grasas saturadas (animales), mayor será la velocidad metabólica.

Para comprender el ritmo metabólico que producen las grasas saturadas, basta con ir al zoológico y contemplar a animales carnívoros como el león o el tigre. Estos animales experimentan letargo y somnolencia continua, deben pasar la mayor parte del día y de sus vidas adormilándose con sopor, y cuando liberan energía, lo hacen de modo impetuoso y violento.

Las grasas insaturadas (vegetales) liberan energía de forma más activa. Recordemos las actividades ininterrumpidas de las ardillas, canarios cantarines, monos incansables o la vigilancia del venado. Ellos se alimentan de grasas vegetales, ya sea en semillas oleaginosas, frutas o forraje. Tienen una ecuánime, sostenida y equilibrada utilización de su energía.

Hay diferencias de ritmo metabólico y comportamiento entre una dieta "herbívora" o "granívora" y otra carnívora. Las grasas de la primera aceleran el ritmo metabólico, las de la segunda lo retardan, unas asfixian, otras traen oxígeno, unas engordan, otras adelgazan.

Si suplementamos la dieta con ácido alfalinolénico, omega 3, que es más insaturado que el linoleico, omega 6, es probable que algún día se amanezca con hambre leve. Esto sucede porque el metabolismo se ha acelerado, está quemando más calorías y requiere más comida. Pero no hay que alarmarse, esta es un hambre honesta y no un hambre compensatoria por carencia de ácidos grasos esenciales u otros minerales. Esta hambre no nos llevará al sobrepeso.

De otro lado, las personas a quienes les urge bajar de peso deben cuidar el aceite que consumen, además de hacer ejercicios aeróbicos. Durante los primeros veinte minutos de ejercicio aeróbico, los músculos obtienen su energía de las grasas y azúcares presentes en la sangre; pero después de este tiempo estas se acaban. Algo maravilloso ocurre entonces: ya que el cuerpo no puede acudir al sistema digestivo para obtener energía porque este se encuentra apagado y tampoco a los músculos porque están en actividad, acude entonces al mayor almacén de energía: la grasa corporal. Mientras tanto, el corazón y los músculos se vigorizan, mejoramos nuestro físico y nos sentimos vitales.

Los ácidos grasos son precursores de prostaglandinas

Los ácidos grasos permiten la formación de las hormonas llamadas prostaglandinas, que tienen entre sus funciones la de ayudar al riñón a eliminar el exceso de agua retenida en los tejidos. El sobrepeso de muchas personas se debe primariamente a la retención de líquido (edema) en los tejidos. Como se ha explicado, las prostaglandinas necesitan de ácidos grasos esenciales para asegurar su síntesis. La síntesis de prostaglandinas es particularmente importante en las mujeres con problemas de retención de líquido.

Las dietas con cero grasa anulan el factor saciedad

Las palabras hipnotizantes y mágicas como "cero grasa", "descremado" y "bajo en grasa" se traducen en alicientes instantáneos para grandes ventas. Parecen dar licencia para entregar el dinero sin complicaciones ni remordimientos, justifican un precio más alto, dan permiso irrestricto para comerse el paquete entero, sin limitaciones morales. Apenas se exagera al decir que estas palabras, como si fueran pasajes canónicos, gobiernan la economía.

Estos mensajes están en riguroso y matemático acorde con la programación mental de nuestros tiempos, lo cual es bien conocido por especialistas en mercadeo. Sin embargo, los dietistas incorrectamente asumen que dietas sin grasa equivalen a cuerpos sin gordura.

Dietas libres de grasa hacen que el dietista mantenga una continua insatisfacción estomacal, arde en su memoria digestiva el deseo de sosiego gastronómico y tiene una tendencia a comer más frecuentemente que aquel que consuma comida con estratégico y necesario contenido de grasa.

Investigaciones recientes sobre la bioquímica de dietas sin grasa nos dicen que, tras estar privado de grasa, el cuerpo se vuelve más eficiente en elaborar las grasas de que carece a partir de otros alimentos. El organismo percibe hambruna, desbalance e insuficiencia y busca equilibrarse convirtiendo más carbohidratos en tejido adiposo. Después de meses o años de estar despojado de grasa el cuerpo se vuelve una experta máquina fabricante y recolectora de grasa. La prueba no solo está en los laboratorios sino en el fracaso de las dietas *low fat* de los últimos veinte años.

A fuerza de ejercer la incoherencia, en muchos de los productos libres de grasa se compensa el sabor desabrido añadiendo más azúcar y más sal. Finalmente, la ecuación nos da igual o mayor cantidad de calorías, mientras que nuestras células pagan el precio de este engaño, engordando.

Las grasas como lubricantes del tracto digestivo

Históricamente se ha utilizado el aceite de ricino como un efectivo purgante, el aceite de oliva en el Mediterráneo y el aceite de ajonjolí en Oriente son usados como laxantes primarios. Los aceites hacen que la masa fecal se deslice por el tracto digestivo con mayor facilidad, promoviendo el movimiento peristáltico y la eliminación. Mantener un movimiento regular de los intestinos hace mucho por adelgazar, permite que la comida no se deposite por horas innecesarias en los intestinos, donde además de engordar envenena la sangre. Durante cada momento de estreñimiento el cuerpo absorbe más calorías con lo cual se aumenta de peso.

Debido a falta de fibra, las comidas refinadas disminuyen la actividad intestinal, se demora unas cinco veces más el paso de los alimentos, 75 en vez de 15 horas que es lo que tardan los cereales integrales altos en fibra. La fibra, el mucílago y la grasa de la linaza le confieren al tracto digestivo propiedades fuertemente laxantes, mientras que combaten las fermentaciones intestinales.

Una causa biográfica de la obesidad

Las necesidades nutricionales de los bebés e infantes son raramente satisfechas en la sociedad. Hay numerosas interferencias en la relación madre-hijo, presiones de trabajo obligan a la madre a interrumpir o descontinuar la lactancia y luego hay una lactancia artificial donde hay un desequilibrio en los aportes de ácidos grasos; estos desajustes nutricionales hacen que la obesidad se afirme. Hay suficientes datos como para sugerir que una buena manera de evitar la obesidad está en tener una prolongada lactancia materna. En las familias de niños alimentados con una larga lactancia materna son muy raros los casos de obesidad.

Cromo: un factor que ayuda a adelgazar

Hemos mencionado que el 90% de la población carece de cromo; este mineral, conjuntamente con el ácido graso omega 3, ocupa los dos primeros puestos entre los nutrientes carentes.

El cromo tiene entre sus funciones principales la de regular el metabolismo de la glucosa. Para cumplir sus funciones fisiológicas debe ser convertido en su forma biológicamente activa; a esta presentación del cromo se le llama factor de tolerancia de la glucosa (GTF). Este factor ayuda con la tolerancia de glucosa, que es la habilidad del cuerpo para regular los niveles de azúcar en la sangre.

La insulina, una hormona secretada por el páncreas, lleva la glucosa a las células. Esta hormona no puede funcionar bien sin el factor de tolerancia de la glucosa, el cual potencia el efecto de la insulina; puede encontrarse en la levadura de cerveza o ser elaborada por los intestinos. En el centro de este factor está el átomo de cromo. El cromo es, entonces, un mineral esencial para el diabético y para todo aquel que tenga altibajos de glucosa en la sangre.

Las dietas ricas en harinas refinadas no solo son muy deficientes en cromo sino que son las que ocasionan mayor pérdida del mismo, haciendo que las mínimas reservas de este mineral sean desgastadas. La dieta de harinas blancas es una importante causa del silencioso éxodo del cromo en la sociedad.

Los carbohidratos requieren de cromo para su metabolismo, el cual ha sido perdido en el refinamiento. El arroz blanco solo contiene 25% del cromo presente en el arroz integral, la harina blanca de trigo solo tiene el 13% del cromo contenido en la harina integral. Un consumo regular de harinas blancas agota las reservas de cromo en el cuerpo y puede ocasionar la diabetes.

Otras funciones del cromo incluyen: retroceso en el endurecimiento de las arterias, descenso en los niveles de colesterol y triglicéridos en la sangre, protección contra el glaucoma y la osteoporosis. Para quemar grasa, el cromo picolinato ya se ha hecho muy popular en gimnasios y centros de aeróbicos.

La fuente natural más rica de este mineral es la levadura de cerveza. Esta es un complemento excelente de los ácidos grasos esenciales, con los que actúa de modo sinérgico por el contenido de cromo y todas las vitaminas del complejo B (es preferible utilizar levadura de cerveza que tomar cápsulas vitamínicas del complejo B). Es además un alimento que ayuda al cuerpo a aumentar la masa muscular mientras que disminuye la masa grasosa. Otras fuentes de cromo son: ostras, hígado, nueces, papa, cereales integrales, melaza de caña y pimienta negra.

EL *TAO* DE ADELGAZAR

La clave para empezar a adelgazar, desde el punto de vista de la medicina china, consiste en mantener fuerte y eficiente el fuego digestivo. El tejido adiposo en medicina china es considerado flema y humedad. La medicina china sostiene que la flema se produce en el bazo, el cual es responsable del transporte y la transformación de esta, y al bazo se le considera la raíz de la producción de la flema. Para fomentar el fuego digestivo tenemos que evitar las comidas húmedas, los dulces y las frituras, lo cual incluye no beber abundantes líquidos fríos, sobre todo antes de los alimentos, más bien beber líquidos calientes en pequeñas cantidades con los alimentos.

Con la edad, la digestión se vuelve menos eficiente, por lo que es muy importante no comer en exceso para no congestionar los mecanismos energéticos de la digestión. El *Nei Jing* nos dice que la función del estómago y los intestinos empieza a declinar a partir de los 35 años. Muchas personas han percibido que a pesar de que consumen los mismos alimentos y realizan la misma cantidad de ejercicio, alrededor de los 40 años pueden ganar unos 4 a 6 kilos. El *Nei Jing* agrega que la mujer a los 49 y el hombre a los 64 pasan por un proceso en el que la vitalidad de sus riñones empieza a declinar, a esta edad una nueva visita de sobrepeso nos puede sorprender ya que el riñón es la fuente de calor para el cuerpo y el fuego del riñón es responsable de la fuerza del bazo *yang* o fuego digestivo.

El ejercicio regular es, equivalentemente, una manera de calentar el cuerpo, la oxigenación de la sangre se puede comparar con soplar sobre las brasas de un fuego débil, pues lo revive y le aumenta su temperatura. El ejercicio, igualmente, mantiene la energía, la sangre y los fluidos en circulación, promueve la peristalsis y ayuda a eliminar líquidos y sólidos, asimismo, es un hecho verificable que el moderado ejercicio regular puede mejorar la digestión. Otro remedio para mejorar la digestión y adelgazar es el automasaje abdominal, el cual enciende la combustión en la cavidad abdominal, ayuda con la peristalsis y la eliminación.

Aquellas personas que quieran bajar de peso deben considerar una dieta rica en alimentos vegetales, alta en fibra y carbohidratos integrales, en su mayoría alimentos calientes y de fácil digestión, alimentos de naturaleza caliente. Al mismo tiempo se debe evitar alimentos fríos, húmedos, mucogénicos, alimentos difíciles de digerir. Adicionalmente se puede considerar recibir acupuntura y herbolaria china para ayudar a fortalecer el poder digestivo. Tanto la acupuntura como la herbolaria tienen el poder de trabajar sobre nuestra constitución, ambas obran sobre la base de esta y por ello modifican patrones profundamente arraigados.

Dieta rica en ácidos grasos adelgazantes

PLAN NUTRICIONAL ADELGAZANTE:
GRASAS VS. GRASAS

Existen numerosas dietas que, aunque buscan adelgazar, tienen una lamentable consecuencia en el régimen, como es el deterioro fisiológico. El nerviosismo puede acompañarlo, así como una recrudecida ansiedad por comer. Aunque las personas pierden peso, el cuerpo se ve sumido en un peor estado de salud y toxicidad en la sangre. Por lo tanto, reducción de peso y depuración son principios inseparables.

Toda terapéutica de reducción de peso debe, en primer lugar, partir de un diagnóstico. Regular y balancear las energías del paciente es imprescindible para este propósito. Se recomienda la acupuntura u otra terapia de regulación, una vez a la semana, mientras dure la dieta. La acupuntura no debe ser sintomática, debe evaluar las necesidades particulares de cada paciente.

Para empezar, lo primero que se debe hacer es decidir cuáles van a ser los horarios de las comidas. Es importante mantener un ritmo digestivo y acostumbrar al cuerpo a horas de alimentos y horas de descanso para fortificar el metabolismo. Coma lento y sin distracciones, sin contestar el teléfono, sin lectura ni televisión. Para reforzar la atención, coma utilizando la mano izquierda en caso de ser diestro, o la derecha si es zurdo. Mastique bien los alimentos, que la degustación se convierta en una experiencia sensual y consciente de las experiencias relacionadas con el acto de comer.

Un aspecto fundamental en un programa de reducción de peso es la salud del hígado, todos los ingredientes aquí propuestos apuntan en ese sentido. Esta dieta busca proveer al cuerpo de los nutrientes de los que carece más comúnmente. Se le dan los nutrientes que nunca tuvo y se eliminan los desechos y grasas que siempre abundaron.

Población carente de dosis necesaria de nutrientes

NUTRIENTE CARENTE	PORCENTAJE	FUENTE
Ácido graso alfalinolénico (omega 3)	95%	Linaza y sacha inchi
Cromo	90%	Levadura de cerveza
Piroxidina B6	80%	Avena
Magnesio	75%	Limón, higo y en todas las verduras verdes como núcleo de la molécula de clorofila
Calcio	68%	Ajonjolí
Zinc	35 a 60%	Levadura de cerveza y ostras de mar

Para una dieta depurativa balanceada, siga las siguientes recomendaciones:

Consuma:

- Fuentes vegetales de proteína: frejol negro caraota, garbanzos, pallar, tarwi, lenteja, soya, habas, otras legumbres.
- Cereales integrales: trigo con cáscara, arroz integral, avena, cañihua, quinua, kiwicha, cebada, maíz, centeno.
- Papa, camote, yuca, olluco, mashwa.
- Verduras verdes y crudas: alfalfa, berros, arúgula, perejil, acelga, albahaca, algas.
- Fruta de la estación.
- Pan integral.
- Granos germinados: trigo, alfalfa, frejolito chino, lenteja, garbanzo, quinua, etc.
- Semillas oleaginosas: linaza, ajonjolí, almendra, nuez, pecana, calabaza, girasol.
- Pescado grasoso de carne roja: caballa, jurel, bonito, trucha, atún, sardina, salmón. No más de una vez a la semana y de preferencia sin freír.

Evite:

- Todo tipo de carne: puerco, res, pollo, mariscos, jamones y embutidos.
- Productos lácteos de todo tipo.
- Aceites vegetales refinados y aceites hidrogenados (margarina).
- Pastas dentífricas con lauril sulfato de sodio o sacarina.
- Frituras.
- Alimentos enlatados u otros con preservantes y/o colorantes sintéticos.
- Sazonadores artificiales, glutamato monosódico (ajinomoto).
- Edulcorantes artificiales, el aspartame y la sacarina.
- Chocolates, caramelos y frituras embolsados.
- Azúcar y arroz refinado (blanco).
- Fármacos.

- Té, café, tabaco.
- Bebidas alcohólicas.
- Pan blanco.
- Cocinar en ollas de aluminio.

Otras recomendaciones son:

- Conviene consumir crudo al menos un 30% de los alimentos.
- Consumir verduras y frutas orgánicas, de ser posible.
- Consumir agua filtrada o de botellón para evitar metales pesados como: cadmio, plomo, arsénico, aluminio, etc. Usar filtro de carbón activo.
- Consumir con moderación pastas, harinas refinadas y pasteles.
- Endulzar moderadamente con miel de abeja, chancaca, jugo de caña, azúcar rubia (menos en casos de diabetes o sobrepeso). Salar moderadamente y con sal marina.
- Utilizar aceites prensados en frío: girasol, ajonjolí y linaza; o aceite de oliva extravirgen.
- Agregar germinados, como la alfalfa, a las ensaladas.
- Utilizar vinagre de manzana.
- Comer en horarios regulares, lentamente, sin distracciones o ansiedades.

DIETA ADELGAZANTE DEPURATIVA

La siguiente dieta busca hacer en el cuerpo una limpieza interna, sanándolo y dándole belleza y rejuvenecimiento.

❧ Primer día ❧

Desayuno
Ponche de linaza, ajonjolí, pecanas, una fruta seca y una o dos frutas frescas (todo mezclado y licuado)
Un pan integral de linaza

Almuerzo

    Milanesa de carne vegetal

    Verduras escalfadas (zanahorias, tofu, nabo, acelgas)

    $1/2$ porción de arroz integral con gomasio

Cena

    Avena con pasas y manzana

    Té de manzanilla

❧ Segundo día ❧

Desayuno

    Ponche de harina de habas o harina de kañiwa

    Un pan integral de linaza con paté de tofu o mermelada de ciruelas (guindones)

Almuerzo

    Tofu relleno (con verduras, carne vegetal)

    Zapallito italiano, zanahoria, acelga, quinua sancochada y graneada

    $1/2$ porción de arroz integral con gomasio

Cena

    Sopa de zapallito loche con algas y cebollita china picada

    Manzanas al horno

❧ Tercer día ❧

Desayuno

    Papilla de linaza, ajonjolí, pecanas, pasas, media manzana rallada, levadura de cerveza, germinado de trigo

    Mate de coca

Almuerzo

    Hamburguesa de buenas grasas (ver p. 78)

    Ensalada de berros sancochados (máximo por 5 minutos) con

salsa de tahini, tofu, zanahorias y col rehogadas
1/2 porción de arroz integral

Cena
Crema de alcachofa
Té de anís

❧ Cuarto día ❧

Desayuno
Sopa de miso con tofu y cebollita china
Un pan integral de linaza con mermelada de guindones hecha en casa

Almuerzo
Guiso de vegetales variados
1/2 porción de arroz integral con gomasio

Cena
Avena (salvado de avena) con manzana y pasas

❧ Quinto día ❧

Desayuno
Leche vegetal (con linaza, piña, y pecanas), frutas frescas
Una tostada integral con tahini

Almuerzo
Carne vegetal a la parrilla
Una ensalada variada con palta, semilla de girasol, linaza, vegetales, germinado de brócoli o de alfalfa

Cena
Soufflé de verduras
Puré de manzana

❧ Sexto día ❧

Desayuno

Ensalada de frutas (3) piña, papaya y mango
Pan integral de linaza con tahini y miel de abeja

Almuerzo

Un filete de pescado grasoso al limón con jengibre (kion) y
brócoli
Yuca sancochada

Cena

Saltado de verdura con salsa de soya

❧ Séptimo día ❧

Desayuno

Papilla de linaza, germinado de trigo (ver p. 75)
Mate de coca o jugo de piña (según estación)

Almuerzo

Paella de quinua con zanahorias crudas, alverjitas sancocha-
das, pasas, maní, perejil picado
Una alcachofa al vapor con vinagreta de aceite oliva, vinagre
de manzana y tahini

Cena

Crema de verduras

Adicional a la dieta, se pueden tener en cuenta las siguientes
ayudas saludables:

Citroterapia (cura de limón)

Tomar en ayunas el jugo de 5 limones, al día siguiente aumentar a 6 limones, cada día aumentar un limón hasta llegar a
10 limones. Luego disminuir diariamente un limón hasta volver
a los 5 limones originales.

Todas las enfermedades empiezan por una mala calidad de la sangre. El limón es el mejor aliado de la purificación de la sangre y, por ende, de todos los órganos que ella nutre.

Fitoterapia

Primera semana:	1 litro diario de manayupa
Segunda semana:	1 litro diario de hercampuri
Tercera semana:	1 litro diario de agracejo

Poner una cucharada de la hierba en un litro de agua hirviendo, hacer una decocción de 3 a 5 minutos. Beber como agua de tiempo.

Puede ser extremadamente útil al propósito de perder de peso consumir paralelamente una decocción de hierbas medicinales, pero estas deberán ser clínicamente seleccionadas según la constitución del paciente.

Extractos

Tomar diariamente cualquiera de los siguientes extractos: alfalfa, zanahoria, col, betarraga, manzana, piña.

Dónde comprar los productos

Avantari

Centro internacional de terapia e investigación herbolaria.

Centro de atención médica, medicina china, acupuntura, herbolaria, obstetricia, odontología, nutrición, fisioterapia.

www.avantari.com Javier Prado Este 1476 San Isidro Lima. Telf. 00-51-1-2247910 Fax: 00-51-1-22479091

Tienda naturista Hoja Verde

Distribuidor internacional de aceites prensados en frío y productos orgánicos, Hierbas Medicinales.

Productos que puede encontrar:
- Aceite de linaza orgánico prensado en frío.
- Aceite de sacha inchi orgánico prensado en frío.
- Aceite de castaña orgánico, prensado en frío.
- Aceite de ajonjolí prensado en frío.
- Pan de linaza orgánico.
- Gomasio (sal de ajonjolí).
- Harina de coca.
- Milanesa vegetal.
- Semillas de brócoli y alfalfa para germinar.
- Arroz integral.
- Harina de trigo integral.
- Linaza orgánica, ajonjolí negro y ajonjolí blanco.

Hoja Verde: Av. Javier Prado Este 1480 San Isidro, Lima.

Bioferia. Productos orgánicos certificados
- Parque Reducto (en Paseo de la República con Benavides). Miraflores. Sábados de 8:30 a. m. a 3:00 p. m.
- Parque Abtao (cruce Andrés Reyes con Las Camelias). San Isidro. Sábados de 8:30 a. m. a 3:00 p. m.

Perfiles de aceites

Tenemos diferentes fuentes de ácidos grasos esenciales, cada persona debe escoger aquella fuente que más se ajuste a sus necesidades particulares. Para ello en este apéndice presentamos los aceites más ricos en ácidos grasos esenciales y sus principales usos.

En el caso de consumir aceite, sea cual sea el de su preferencia, este debe estar en botellas oscuras que no permitan el ingreso de luz, la cual acelera la oxidación del aceite, preferiblemente deberá ser orgánico, prensado en frío y debe mantenerse refrigerado para mayor protección.

Cuando se consuman semillas oleaginosas, estas deben pulverizarse o masticarse bien para mejorar la asimilación. En caso de ser pulverizadas las semillas que son ricas en omega 3, como la linaza y el sacha inchi, deben consumirse inmediatamente después de molidas o en un plazo no mayor de dos horas.

AJONJOLÍ *(Sesamum indicum)*

COMPOSICIÓN DEL ACEITE DE AJONJOLÍ	
Carbohidrato	21,6%
Proteína	25,0%
Grasa total	49,1%
Ácido linolénico (omega 3)	0%
Ácido linoleico (omega 6)	45% poliinsaturados
Ácido oleico	42% monosaturado
Grasa saturada	13%

Históricamente, estas semillas fueron las primeras en utilizarse como fuente de aceite en la dieta del hombre. Primero fueron cultivadas en India, de donde pasaron a África y Medio Oriente. Existe una leyenda asiria que dice que cuando los dioses se reunieron para crear el mundo bebieron vino de ajonjolí. Igualmente, en las antiguas leyendas hindúes aparece el ajonjolí como símbolo de la inmortalidad.

La célebre frase "ábrete sésamo", proveniente de las fábulas árabes, hace referencia a que las vainas del sésamo (llamado en varios lugares ajonjolí), estallan abiertas al llegar a la madurez. En la China también circula esta misma frase pero explican que el ajonjolí, siendo un poderoso laxante, abre las puertas de los intestinos.

En Oriente el aceite de ajonjolí es muy popular, tal como lo es el aceite de oliva en el mediterráneo. El aceite de ajonjolí es 42% monosaturado, 45% poliinsaturado y 13% saturado. Como se sabe, el aceite al ser poliinsaturado se vuelve susceptible a la oxidación, pero el ajonjolí tiene un antioxidante natural, el sesamol, esto lo convierte en un aceite excepcionalmente resistente a la rancidez. En la India antigua justificadamente se le consideraba como el aceite más estable y es un hecho que se preserva por más tiempo que otros aceites.

Además de contener calcio, hierro, magnesio, manganeso, zinc, cobre, vitamina B6, el ajonjolí contiene la sesamina y la sesamolina, ambas sustancias pertenecen al grupo de los lignanos, que tienen propiedades reductoras del colesterol y disminuyen la hipertensión arterial. La sesamina por su parte protege el hígado de daño oxidativo.

Ajonjolí, cobre y artritis reumatoide

El cobre, uno de los elementos del ajonjolí, es un mineral importante para un conjunto de enzimas involucradas en procesos antiinflamatorios y antioxidantes, es por eso que ayuda a reducir la inflamación y el dolor de la artritis reumatoide. El cobre también provee fuerza y elasticidad a los huesos y articulaciones.

Usos

- Las semillas son una excelente fuente de hierro, muy útiles para casos de anemia y fatiga.
- Es una rica fuente de zinc, con propiedades que apoyan la fertilidad en el hombre y aumentan la densidad de los huesos.
- Contiene abundantes cantidades de calcio, lo que lo hace un alimento ideal para personas con osteoporosis y niños en crecimiento.
- Lubrica la piel.
- Alivia el estreñimiento; unas gotas sobre la comida lubrican el colon. Para el estreñimiento más severo, dos gotas de aceite de ajonjolí en el estómago vacío inducen el movimiento peristáltico.
- Destruye parásitos intestinales y hongos en la piel.
- Su aceite es superior para masajes, en casos de reumatismo y calambres musculares.

GIRASOL *(Helianthus annus)*

COMPOSICIÓN DEL ACEITE DE GIRASOL	
Carbohidrato	7-12%
Proteína	25% (contiene todos los aninoácidos esenciales)
Grasa total	48%
Ácido linolénico (omega 3)	0%
Ácido linoleico (omega 6)	66% poliinsaturados
Ácido oleico	26% monosaturado
Grasa saturada	8%

El alto grado de vitamina E en el aceite de girasol le permite preservarse bastante bien y cumplir funciones antioxidantes. El girasol, como su nombre lo indica, busca el sol; es una de las pocas fuentes vegetales que proporciona vitamina D, una vitamina que se sintetiza a partir del sol. La vitamina D contribuye a la asimilación del calcio en el intestino. Esta semilla destaca en vitamina D o calciferol pero también contiene vitaminas A, E, F y K.

El girasol es nativo de América, donde ha sido cultivado desde hace 4000 años por los nativos, sin embargo, tras la llegada de los colonizadores poca atención se le dio al girasol y los colonos europeos consideraron el trigo, el maíz y la cebada como cultivos más generosos y de menos trabajo. En Europa también el girasol tuvo una indiferente recepción, pero cuando Pedro el Grande vio esta espectacular flor en Holanda, trasladó semillas a su tierra natal y fue en Rusia donde esta flor se desarrolló y regresó al mundo americano; es en Rusia donde es considerada una flor nacional, con una importante industrialización de sus aceites.

Los minerales que encontramos en mayor proporción en el girasol son: fósforo, hierro, flúor, manganeso, magnesio, potasio, yodo, cobalto, zinc, calcio y cobre.

Usos

- La semilla de girasol molida puede ser un buen alimento para bebés en destete, por su fácil digestibilidad y estar libre de almidón. Igualmente, puede ayudar a muchos lactantes que sufren de resequedad y eczema en la piel por falta de ácidos grasos en la dieta.

- Protege contra la hipercolesterolemia y arteriosclerosis. Ayuda a mantener líquido el colesterol, previniendo arteriosclerosis, trombosis, angina de pecho y problemas circulatorios. La vitamina E contenida en el girasol protege contra los daños del colesterol por peroxidación lípida, previniendo enfermedades cardiovasculares.

- La esclerosis múltiple es una enfermedad en la cual la capa protectora que recubre los nervios, la mielina, es destruida. El ácido linoleico (omega 6) es un componente esencial de la mielina y si no se incluye en la dieta la pérdida continúa su curso. Una de las funciones del cobre es la protección del revestimiento de mielina que rodea los nervios. El girasol aporta 1 400 mg de cobre por cada 100 g de semillas y es muy rico en ácido linoleico.

- Es útil para la hipertrofia prostática benigna. Las prostaglandinas derivadas de los ácidos grasos son hormonas muy importantes para el proceso de desinflamación de la próstata. El girasol también contiene zinc en altas dosis, el cual es esencial para el funcionamiento de la próstata y las gónadas sexuales.

- Para las personas con problemas de hipertensión arterial, las semillas de girasol (sin sal) son muy ricas en potasio y ayudan a mejorar un balance muy necesitado por muchos, ya que la sociedad moderna está dominada más por el consumo de sodio que por el de potasio. Una taza de girasol contiene 1 400 mg de potasio y solo 4 mg de sodio.

- La vitamina D en estas semillas llenas de sol ayuda a la utilización del calcio.

LINAZA *(Linum usitatissimum)*

COMPOSICIÓN DEL ACEITE DE LINAZA	
Proteína	26%
Fibra	14%
Mucílago	12%
Agua	9%
Minerales	4%
Grasa total	35%
Ácido linolénico (omega 3)	58%
Ácido linoleico (omega 6)	14% poliinsaturado

Su nombre técnico es *Linum usitatissimum*, que quiere decir linaza superútil o utilísima. Tantos son los beneficios de esta planta, que puede considerarse como un milagro que la ciencia descuidó. Sus usos no solo comprenden el ámbito de la nutrición; también en la industria textil se la ha usado por años para producir el lino, que se elabora con sus fibras.

La linaza se cultivó en Babilonia hace 5000 años, su fibra se encontró en restos arqueológicos egipcios y entre sus admiradores tenemos a Hipócrates, Paracelso, Tácitos y Mohandas Gandhi. Este aprecio no era en vano, más bien nos revela el conocimiento esencial de las propiedades naturales por parte de estos hombres.

El aceite de linaza posee la fuente más rica, y por un amplio margen, de ácidos grasos alfalinolénicos. En la cadena molecular existen tres enlaces dobles entre sus átomos de carbono, y es ahí donde se almacena la energía del sol; por su color dorado podemos decir que es sol líquido y combustible óptimo para el hombre.

Aunque no es la semilla más rica en omega 6, sí lo es por un amplio margen en omega 3, que son los ácidos grasos más difíciles de obtener y los más carentes en nuestra dieta. Se dice que el canabis tiene una mejor proporción entre sus aceites respectivos. La linaza solo es superada por las semillas de canabis en cuanto a proporción de sus aceites pero no en contenido cuantitativo de omega 3. Los aceites de la semilla de canabis son de un verde espeso, muy nutritivos y no tienen absolutamente nada de propiedades tóxicas o narcóticas; pero, como se sabe, el canabis es ilegal, de difícil acceso y por lo tanto descartado como fuente de ácidos grasos esenciales.

SÍNTOMAS A LOS QUE EL SUPLEMENTO DE OMEGA 3 RESPONDE DE FORMA ÓPTIMA

- Triglicéridos elevados en la sangre
- Hipertensión arterial
- Aumento de plaquetas (riesgo de accidente cerebro-vascular)
- Inflamación de tejido
- Edema
- Sequedad de la piel
- Deterioro mental
- Bajo ritmo metabólico
- Disfunciones inmunológicas

¿Se puede hornear la linaza?

La respuesta a esta pregunta puede sorprender: la linaza no tolera el calor, es muy susceptible a alteraciones debido a sus varios enlaces dobles en la cadena molecular. Sin embargo, estudios sobre estabilidad térmica indican que los aceites omega 3 presentes en la linaza pulverizada se mantienen estables a temperaturas de horno de 350° F o 178° C hasta por dos horas. Esto se debe a que la temperatura interna de la masa de pan o torta alcanza temperaturas de 95° C, que es el punto de gelatilización de la mezcla de harina y azúcar con agua, y no iguala la temperatura del horno de 178° C.

Usos

- La linaza contiene los aminoácidos histidina y arginina, que son fundamentales en la dieta de los infantes. Recuérdese que los niños requieren diez aminoácidos esenciales y los adultos, ocho, esos dos de más son los que contiene la linaza.

- Lignanos son molécula antigripal, antimicótica, antibacteriana y con poderosas propiedades anticancerígenas. Se han realizado interesantes y promisorios estudios que apuntan a que el lignano suprime el crecimiento tumoral y previene el cáncer (ver el capítulo "Grasas de la mujer"). Entre otros beneficios de el lignano, podemos mencionar sus propiedades antioxidantes y el tratar problemas de la menopausia, regulación hormonal y de insuficiencia renal crónica.

- Hay estudios preliminares que señalan que el lignano ayuda a combatir la arteriosclerosis, aunque no se sabe si el efecto es directamente de el lignano sobre la arteria o debido a su efecto reductor del colesterol, que es un factor agravante de la arteriosclerosis. Se sabe que reduce tanto el colesterol total como el colesterol de baja densidad (LDL).

- Es excelente para tratar fermentaciones de estómago e intestino debidas a harinas, lácteos u otros cereales y sus harinas.

- Ayuda a eliminar las mucosidades del sistema. Se dice que la linaza es única en su capacidad de eliminar flema y mucosidad, siendo a su vez altamente nutritiva.

- Actúa sobre estómagos ulcerados, reduce la acidez, es refrescante y excelente antiinflamatorio.

- Debido a su alto contenido de aceite y proteína no se debe consumir en exceso, máximo 50 a 70 gramos diarios, 5 a 7 cucharadas. Se combina bien con toda clase de vegetales y cereales.

- Es indicado para trastornos del ácido úrico, al que neutraliza fácilmente.

- Es un alimento ideal para diabéticos por su alto contenido de proteína, aceites y escaso contenido de glúcidos.

- Es el grano clásicamente utilizado para el estreñimiento ya que aumenta el volumen de la masa fecal, lo cual promueve la peristalsis, mientras que simultáneamente ablanda y lubrica las heces. Se dice que hasta los estreñimientos más rebeldes son remediados con la linaza, sin irritar o violentar los intestinos, como otros purgantes. El mucílago, el aceite y la fibra son los tres agentes laxantes. Por ejemplo, hay médicos que recetan un producto llamado Ciruelax, el cual está compuesto de linaza molida y ciruelas. Además de ser caro, tiene el problema de que la linaza, al estar molida y almacenada por buen tiempo, comienza con el proceso de oxidación de sus aceites delicados y nos queda un laxante rancio, por lo cual es más recomendable usarla recién molida.
- Al formar heces más blandas y fluidas, la linaza es un excelente alimento para aquellos que sufren de hemorroides y fisuras anales.
- Se dice que la linaza es un alimento favorecedor de la flora intestinal, como lo son el yogurt y la col. También para las putrefacciones intestinales y para la toxemia, igualmente la linaza elimina los malos olores de las deposiciones.
- Se puede recurrir a la linaza en casos de inflamaciones urinarias como cistitis y uretritis.
- Se utiliza en inflamaciones de la garganta, para las cuales ofrece excelentes resultados. La lista también incluye catarros, ronquera, tuberculosis, flemas, bronquitis, asma y croup.
- Existen experimentos modernos que indican que la linaza tiene efectos positivos sobre el hígado. También en la hipercolesterolemia.
- Resulta muy utilizada en casos de enemas para hemorroides sangrantes, inyecciones vaginales, vaginitis, leucorrea y olores desagradables de la vagina.
- El mucílago o goma de la linaza es un excelente fijador del pelo.

OLIVA *(Olea europea)*

COMPOSICIÓN DEL ACEITE DE OLIVA	
Grasa total	20%
Ácido linolénico (omega 3)	0-1%
Ácido linoleico (omega 6)	8%
Ácido oleico	76%
Grasa saturada	16%

El aceite de oliva fue primero cultivado en la Grecia antigua, específicamente en Creta, 3 500 años antes de Cristo, pero ya en el año 2000 a.C. el olivo fue producido masivamente en Grecia y desde entonces es un símbolo de la nutrición griega y mediterránea, además de ser muy importante en su economía. Desde el siglo VI a.C. existe la legislación ateniense que protege al olivo de la tala indiscriminada. Sus propiedades curativas se conocen desde la época de los antiguos griegos, algo que la ciencia recién redescubre debido al interés en la dieta mediterránea. En los primeros juegos olímpicos, celebrados en la ciudad de Olimpia en el año 776 a.C., el premio era una rama de oliva y no una medalla de oro. Hoy en día todos podemos ser premiados con los beneficios de la oliva.

El aceite de oliva es rico en ácidos grasos monosaturados, pero bajo en ácidos grasos esenciales y sin ningún contenido de ácidos grasos alfalinolénicos. No es un ácido graso esencial y por lo tanto se podría prescindir de este aceite en la dieta. Sin embargo, no deja de tener propiedades beneficiosas.

El aceite monoinsaturado tiene la característica especial de no bajar los niveles en la sangre de la lipoproteína de alta densidad (HDL, con cualidades positivas). Esta recoge el colesterol de las paredes arteriales y lo transporta al hígado, donde se reduce en ácidos biliares para ser eliminada del cuerpo en las heces. Mientras tanto, el aceite monoinsaturado también reduce la lipoproteína de baja densidad (LDL), que hace que el colesterol se deposite en las arterias.

La oliva es una fruta y no una nuez como el girasol o el maní, de allí que tenga larga vida. Un buen aceite de oliva extiende la vida, de la misma manera que los olivos tienen una larga vida, de 100 a 1000 años. El olivo del patio de la casa de Platón aún vive, aunque no da más olivos.

Su popularidad se debe a su sabor y la facilidad con que el fruto es presionado. La aceituna no es una semilla fibrosa que necesite fuertes presiones mecánicas para extraer su aceite, el cual da el sabor característico a mucha de la comida mediterránea. Es el único aceite de producción masiva que puede encontrarse en el mercado, como aceite prensado en frío, extravirgen, y por lo tanto es uno de los pocos que se puede recomendar. La mayoría de los aceites en el mercado son refinados, con sustancias tóxicas y empobrecidos nutricionalmente. Solo ciertos establecimientos especializados expenden aceites de oleaginosas prensados en frío.

Al comprar aceite de oliva, debe tenerse cuidado de que sea extravirgen y no una mezcla de extravirgen, virgen y refinado. En estas mezclas, pequeñas cantidades de extravirgen se añaden para encubrir el mal sabor de los otros aceites y para poder poner en letras grandes sobre su etiqueta: "extravirgen".

Usos

- Es rico en antioxidantes, vitamina A y E.
- Baja el colesterol malo LDL, sin reducir el bueno HDL, lo cual mejora la circulación y baja la presión arterial.
- La alta concentración de ácido oleico, monoinsaturado, mantiene ágiles nuestras arterias y además le da un alto grado de estabilidad al aceite, haciéndolo muy útil para todas las forma de cocina, salvo la fritura.

SACHA INCHI *(Plukenetia volubilis)*

COMPOSICIÓN DEL ACEITE DE SACHA INCHI	
Ácido linolénico (omega 3)	45,1%
Ácido linoleico (omega 6)	36,8%
Ácido oleico	9,6%
Grasa saturada	7,6%

El sacha inchi es una euforbiácea que crece en la ceja de selva y ofrece un aceite viscoso de color naranja, siendo el 70% de sus grasas insaturadas. Tradicionalmente fue usado por los chancas (siglos XII y XIII) como alimento. En la región de Andahuaylas y Ayacucho vivieron los legendarios chancas, un conjunto de guerreros que por su combatividad pasaron a la historia como uno de los pueblos más aguerridos y rebeldes del antiguo Perú.

Hoy en día el sacha inchi también es conocido como "maní silvestre" o "maní del inca". Actualmente en África se extrae el aceite para alimento, siendo esta planta muy relacionada con la oleaginosa africana llamada cumbaza. Como euforbiácea, sus flores blancas desarrollan cuatro cápsulas, cada una con cuatro semillas. Además de los aceites esta semilla también contiene proteínas altamente digestibles y solubles en agua. La proteína soluble en agua y de almacén es una albúmina que representa el 31% del peso total de la semilla.

Lo que llama la atención del sacha inchi es su altísimo contenido de aceites omega 3 que, como sabemos, son aceites difíciles de encontrar entre oleaginosas. Si bien es cierto que la linaza supera ligeramente al sacha inchi en contenido de aceites omega 3, el sacha inchi tiene una proporción más equilibrada entre los aceites omega 3 y omega 6, adicionalmente el sacha inchi supera a la linaza en contenido proteico.

Usos
- Es reconocido que los aceites de la semilla bajan el colesterol y los triglicéridos.

- Las semillas de sacha inchi son una excelente fuente de proteína.

VERDOLAGA *(Portulaca oleracea)*

Composición de la verdolaga	
Hojas:	
Carbohidratos	6,5 %
Grasas	0,5%
Proteína	1,8%
Semillas:	
Proteína	18,9%
Grasas	4 %
Palmítico	10,9 %
Esteárico	1,3%
Ácido linolénico (omega 3)	38,9%
Ácido linoleico (omega 6)	9,9 %
Ácido oleico	28,7%

Sobre las islas griegas del Mediterráneo se ha encontrado uno de los mejores estados de salud cardiovascular del mundo, entre varios factores tenemos el consumo de aceite de oliva, las verduras, las uvas, el ajo y el consumo de pescado. Sin embargo, un hecho resaltante es que de todas las islas es en la isla de Creta donde se encontró estadísticamente una significativa ventaja. Los médicos investigadores se preguntaron qué factor era el que creaba esta diferencia, la respuesta está en el antiguo hábito cretense de consumir verdolaga.

La verdolaga es una planta herbácea que crece en muchas partes del mundo, se encuentra frecuentemente en jardines y parques creciendo voluntariamente.

Usos
- Quita el calor y elimina toxinas.
- Detiene las hemorragias, incluyendo la metrorragia.

- Contiene la diarrea, especialmente cuando hay sangre en las heces.

PESCADOS

En las aguas frías y profundas, alejados de la costa y de la contaminación, los peces se abrigan con grasa. Los desechos de los cinco continentes son vertidos al mar, por lo cual conviene preferir pescado de carne roja, no solo por sus benéficos aceites, sino por ser los menos contaminados, ya que habitan alejados de la costa. Al pez no se le inyectan hormonas ni antibióticos, tampoco alimentos preparados, pero el problema eventual del pescado está en los niveles altos de cadmio, mercurio, arsénico y otros metales pesados que ahora también nadan en el mar.

Existen pescados con grasas tóxicas, como el ácido cetoleico presente en el arenque. Tenemos pescados con buena proteína pero sin mayores méritos nutricionales en grasas, como el lenguado. Los pescados de máximo beneficio son los que contienen grasas derivadas del omega 3, el ácido eicopentanoico (EPA, 20:5w3) y el docohexanoico (DHA, 22:6w3), como por ejemplo la anchoa, caballa, salmón, trucha, sardina, jurel y atún. Sus aceites son constituyentes de nuestras células y se encuentran en abundancia en los genitales, la retina y las neuronas.

La fisiología humana tiene la capacidad de convertir omega 3 en EPA y DHA. Sin embargo, debido a enfermedades degenerativas o falta de nutrientes, hay ciertos individuos que pierden esta capacidad de conversión. Igualmente, hay individuos que por mutaciones genéticas no tienen capacidad de conversión. Se calcula que la población afectada no es mayor del 2%.

Si una persona, sin reservas de omega 3, ingiere dos cucharadas de aceite de linaza, que es 50% omega 3, su cuerpo elaborará 378 mg de EPA, el que equivale a dos cápsulas largas de aceite de pescado. La ventaja es que el EPA preparado por nuestro cuerpo es más fresco, estable y no contiene ingredientes rancios que podría tener un suplemento de aceites de pescado.

Anexos

CONTENIDO DE ÁCIDOS GRASOS EN PESCADOS

Pescado (100 g)	Omega 6	Omega 3	EPA	DHA
Anchoa	0,2	–	0,5	0,9
Arenque (Pacífico)	0,4	0,1	0,7	0,9
Atún	–	–	0,1	0,4
Bacalao (jurel)	0,3	Trazas	0,3	0,3
Caballa	0,4	0,1	0,5	1,3
Lenguado	0,1	Trazas	Trazas	0,1
Merluza (Pacífico)	0,2	Trazas	0,2	0,2
Mero	0,2	0,1	0,1	0,3
Pez espada	–	–	0,1	0,1
Róbalo	0,4	Trazas	0,1	0,2
Salmón rosado	0,4	Trazas	0,4	0,6
Sardinas (lata)	–	0,5	0,4	0,6
Trucha arco iris	0,6	0,1	0,1	0,4
Trucha (lago)	1,4	0,4	0,5	1,1

Aceite de pescado	Omega 6	Omega 3	EPA	DHA
Hígado de bacalao	6,6	0,7	9,0	9,5
Salmón	9,0	1,0	8,8	11,1

NUTRIENTES CON ÁCIDOS GRASOS ESENCIALES

Nombre	% TOTAL- GRASA	Omega 3	Omega 6	Omega 9	Grasa INSATU- RADA
Almendra	54,2		17	78	5
Algodón	40,0		50	21	25
Ajonjolí	49,1		45	42	13
Calabaza	46,7	0-15	42-57	65	
Canabis	35,0	20	60	2	6
Castaña	66,9		24	48	24
Coco	35,3		3	6	
Chia	30,0	30	40		
Germen de trigo	10,9	5	50	25	18
Girasol	47,3		66	26	12
Kukui	30	29	40		
Linaza	35,0	58	14	19	4
Macadamia	71,6		10	71	12
Maíz	4,0		59	24	17
Maní	47,5		29	47	18
Nuez	60,0	5	51	28	
Oliva	20,0		8	76	16
Palma	35,3		2	13	85
Palta	12,0		10	70	20
Pecana	71,2		20	63	7
Pistacho	53,7		19	65	9
Prímula	17,0		81	11	2
Sacha inchi	35-60	46,8	36,8	9,6	3,2
Soya	17,7	7	50	26	6
Uva	20,0		71	17	12

CONTENIDO DE ÁCIDOS GRASOS ESENCIALES EN LECHE DE FÓRMULA PARA BEBÉ

Nombre	Lab. productor	Omega 6 100g de polvo	Omega 3 100g de polvo	DHA 100g de polvo	Edad del lactante o niño
Enfamil soya	Mead-Johnson	4,5 g	0,472 g	---	6 meses a 1 año
Enfamil con hierro	Mead-Johnson	4,7 g	0,5 g	---	---
Similac Advance	---	5,25 g	0,56 g	---	---
Enfamil sin lactosa	Mead Johnson	4,7 g	0,489 g	---	---
Enfamil Premium	Mead-Johnson	4,7 g	0,5 g	0,99 g	---
Progress 3	SMA Nutrition	---	---	---	A partir de 1 año
Nido 3+	Nestlé	4,5 g	0,56 g	---	A partir de 3 años
Nan 1	Nestlé	4,24 g	0,5 g	---	---
PreNan	Nestlé	3,0 g	0,28 g	---	Lactantes con bajo peso al nacer
Nidal	Nestlé	3,32 g	4,13 g	---	---
Nido 1+	Nestlé	---	---	---	A partir de 1 año
S 26	Wyeth Nutrition	4,5 g	---	---	0-6 meses
S26 gold	Wyeth Nutrition	4,5 g	---	0,056 g	0-6 meses
Blemil Plus	Ordesa	4,12 g	0,4 g	*	1-5 meses
Isomil	Abbott lab.	5,1 g	---	---	0-12 meses
Pediasure	Abbott lab.	---	---	---	1-10 años

* Dice contener sin especificar cuánto

Ninguna de las leches mencionadas en este cuadro contiene EPA (ácido eicopentanoico).

Ácidos grasos esenciales (AGE)

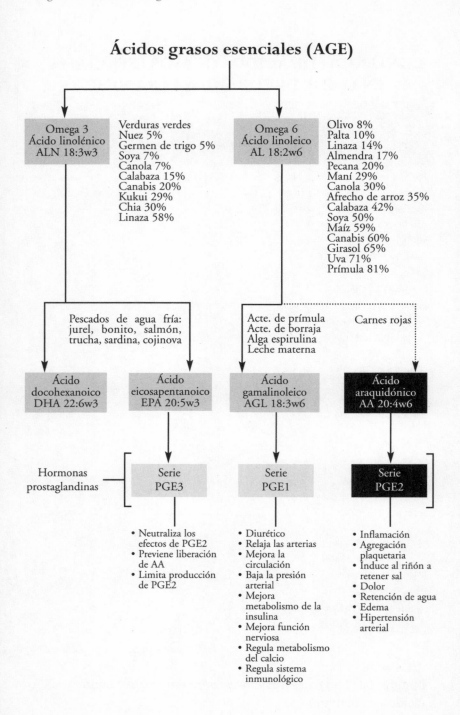

Omega 3
Ácido linolénico
ALN 18:3w3

Verduras verdes
Nuez 5%
Germen de trigo 5%
Soya 7%
Canola 7%
Calabaza 15%
Canabis 20%
Kukui 29%
Chia 30%
Linaza 58%

Omega 6
Ácido linoleico
AL 18:2w6

Olivo 8%
Palta 10%
Linaza 14%
Almendra 17%
Pecana 20%
Maní 29%
Canola 30%
Afrecho de arroz 35%
Calabaza 42%
Soya 50%
Maíz 59%
Canabis 60%
Girasol 65%
Uva 71%
Prímula 81%

Pescados de agua fría:
jurel, bonito, salmón,
trucha, sardina, cojinova

Acte. de prímula
Acte. de borraja
Alga espirulina
Leche materna

Carnes rojas

Ácido
docohexanoico
DHA 22:6w3

Ácido
eicosapentanoico
EPA 20:5w3

Ácido
gamalinoleico
AGL 18:3w6

Ácido
araquidónico
AA 20:4w6

Hormonas
prostaglandinas

Serie
PGE3

Serie
PGE1

Serie
PGE2

- Neutraliza los
  efectos de PGE2
- Previene liberación
  de AA
- Limita producción
  de PGE2

- Diurético
- Relaja las arterias
- Mejora la
  circulación
- Baja la presión
  arterial
- Mejora
  metabolismo de la
  insulina
- Mejora función
  nerviosa
- Regula metabolismo
  del calcio
- Regula sistema
  inmunológico

- Inflamación
- Agregación
  plaquetaria
- Induce al riñón a
  retener sal
- Dolor
- Retención de agua
- Edema
- Hipertensión
  arterial

USO CLÍNICO NUTRICIONAL DE LOS SABORES

El sabor de la comida nos ofrece un punto de partida para entender las propiedades del alimento, la energía de cada órgano es regulada por un sabor determinado.

Sabor ácido: detiene hemorragias y sudoraciones

El sabor ácido causa contracción, es astringente, une lo disperso y su movimiento cohesivo regula la tendencia expansiva del hígado. El efecto astringente del sabor ácido, revierte la pérdida de fluidos y energía mientras que afirma los tejidos. Adicionalmente el sabor ácido se usa para la sudoración excesiva, hemorragias, hemorroides, prolapso uterino, piel flácida y colgante.

El sabor ácido regula en el hígado los efectos de una comida grasosa y condimentada, actúa como solvente de grasas y proteínas. Lo ácido también tiene un efecto calmante sobre la mente, de acuerdo a los clásicos de medicina china, lo ácido unifica la mente y el corazón, y es indicado cuando la mente es demasiado dispersa.

Sabor amargo: remueve calor y flema

El sabor amargo hace que la energía descienda y causa contracción, extingue el fuego del corazón. El sabor amargo apaga el fuego, reduce la flema, baja la temperatura y posee efecto purgante.

Lo amargo sirve para reducir inflamaciones, colesterol, baja la presión arterial. Entre las enfermedades que puede tratar están las condiciones asociadas a la humedad y la flema, como forúnculos, abscesos, erupciones en la piel, tumores, quistes, obesidad, edema.

Sabor dulce: armoniza y tonifica

Lo dulce es tónico, calmante, fortifica al paciente delgado y débil. Lo dulce edifica tejidos y fortalece condiciones de deficiencia. Adicionalmente el sabor dulce equilibra los otros sabores, donde hay diferentes sabores el sabor dulce agrupa a todos en una decocción coherente y unificada. Este sabor también tiene la propiedad de relajar el cerebro y los nervios. El efecto secundario del sabor dulce está en la creación de mucosidades y sobrepeso.

Sabor pungente: promueve circulación, dispersa y expande

Lo pungente dispersa la congestión de flema, en particular de las vías respiratorias. Por eso la mayoría de remedios para el pulmón son pungentes, como el ajo, la cebolla, el jengibre, el rábano, rábano rusticano y la pimienta cayena. Este sabor estimula la circulación y la digestión, dispersa la flema causada por comida mucogénica como los lácteos y dulces. Lo pungente también induce la transpiración necesaria durante un resfrío común.

Sabor salado: suaviza masas y bultos

El sabor salado se utiliza para suavizar masas, nódulos linfáticos endurecidos, rigidez de músculos y tendones. Igualmente lo salado mueve la energía hacia abajo y hacia adentro, purga los intestinos, reduce el embotamiento abdominal, refresca el calor, como en el caso de gárgaras de sal para la garganta. La sal debe moderarse en sujetos hipertensos, por lo general se evita en personas con sobrepeso, pero no es el caso de las algas que, debido a su contenido mineral y yodo, aceleran el metabolismo.

SABOR	ÁCIDO	AMARGO	DULCE	PUNGENTE	SALADO
Color	Verde	Rojo	Amarillo	Blanco	Negro
Emoción	Cólera	Alegría	Melancolía	Tristeza	Miedo
Órgano yang	Vesícula	Intestino delgado	Estómago	Colon	Vejiga
Sentido	Ojos	Lengua	Boca	Nariz	Oreja
Fluido	Lágrima	Sudor	Saliva	Flema	Orina
Sistema relacionado	Músculos y tendones	Arterias y venas	Sistema digestivo	Piel	Huesos
Clima	Viento	Calor	Humedad	Sequedad	Frío
Desarrollo	Crecer	Transformar	Cosechar	Almacenar	Nacer
Orientación	Este	Sur	Centro	Oeste	Norte
Grano	Avena	Maíz, kiwicha	Cebada, mijo	Arroz	Frejoles

Índice analítico

Acidosis, 85, 202-205

Acupuntura, 22, 50, 53, 185, 194, 239, 241, 249

Adelgazar, 128, 231-232, 236-239, 241

Alfalinolénico, 27-28, 40, 69, 184, 234, 242, 256, 260

Alergia, 68, 106, 149, 153-154, 209

Amigdalitis, 144, 148

Angioplastía, 122

Antibiótico, 141-146, 148, 214, 216, 218, 222, 264

Anticancerígeno, 149, 165, 182-183, 186-187, 258

Antiinflamatorio, 107, 141, 176-178, 253, 258

Antiviral, 148-149

Antioxidante, 32, 38, 40, 43, 56, 105, 121-125, 149, 165, 195, 232, 252-254, 258, 261

Antitumoral, 148, 160, 165, 168

Aromaterapia, 133

Arteriosclerosis, 26, 29, 35, 84, 121-122, 173-174, 177, 207, 218, 255, 258

Artritis, 38, 107, 114, 177, 183, 185, 200, 202, 207, 253

Asma, 16, 49, 68, 151-154, 209, 223, 259

Azúcar, 35, 37, 76-77, 82-85, 87, 90, 118, 132, 134, 138-139, 147, 169, 177, 202-204, 209, 223, 231-232, 234, 236-237, 243-244, 257

Bioflavonoide, 149

Bronquitis, 147, 151, 209, 259

Calcio, 12, 27, 30-31, 40, 59, 65, 90, 122, 126, 177, 181, 183, 199-201, 203-209, 215, 219-223, 225, 233, 242, 252-255, 268

Calorías, 34, 42, 55, 130-131, 134-137, 204, 229-230, 232, 234, 236

Cáncer, 12, 33, 34, 35, 37, 41, 52, 56, 95, 111, 114, 155, 159-167, 182, 187-188, 190, 192-193, 206, 213-214, 219, 222, 258

Cardiovascular, 26, 29, 37, 72, 87, 121, 123, 125-127, 174, 255, 263

Catabolismo, 129-130

Cistitis, 259

Citroterapia, 203, 247
Colesterol, 12, 17, 28-29, 33-34, 41, 51-52, 73, 75, 82, 84-85, 94, 105, 108-109, 118, 121-128, 139, 173, 177, 195, 217, 229, 237, 253, 255, 258, 260-262, 269
Cólicos, 97, 176-177, 209
Cortisol, 52-53

Depresión, 12, 54, 58, 62, 65, 71-73, 99, 119-120, 194, 222-223
Deshidroepiandrosterona (DHEA), 47, 51-53, 184
Diabetes, 52, 108, 138-139, 173, 185, 214, 229, 230, 237, 244
Docohexanoico (DHA), 42-43, 58, 61-63, 65-66, 68-69, 71, 73, 122, 126, 151, 217-218, 264-265, 267-268

Eczema, 68, 255
Eicosapentanoico (EPA), 42-43, 58, 65-66, 122, 126, 151-152, 264-265, 267-268
Ejercicio, 53, 84, 132, 232, 234, 238-239
Enema, 259
Envejecimiento, 37-38, 42, 52, 55-6
Esclerosis, 60, 188, 255
Espermatozoide, 33, 46, 172, 175
Espirulina, 55, 64, 184, 188-189, 268
Estreñimiento, 41, 75, 154-155, 187, 194, 236, 253, 259
Estrógeno, 52, 54, 180-184, 186-187, 189-193, 195, 205-206

Fertilidad, 175, 194, 253
Fitoesteroles, 30
Fitoestrógeno, 183, 186-187, 191
Fitoquímicos, 165-166
Fitoterapia, 248
Flavonoide, 107, 125

Flema, 16, 19, 82-84, 94, 97, 101, 118-119, 121, 129-130, 133, 141, 143-144, 146-147, 149, 154-156, 209-210, 218, 238, 258-259, 269-270
Fosfolípido, 30-31, 36, 40, 108, 126, 152

Gamalinolénico, 66, 73, 136, 188, 215, 217
Glaucoma, 237
Glucosa, 84, 94, 130, 138-139, 231-233, 237

Harina, 37, 40, 76-78, 83, 85, 89-90, 138, 168-169, 187, 196-198, 202-204, 222-223, 231-232, 237, 244-245, 249, 257-258
Hemorroides, 259, 269
Hepatitis, 105-107
Herbolaria, 22, 102, 185, 239, 249
Hidrogenación, 34, 69, 118, 164
Hiperactividad, 16, 19, 50, 58, 67-68, 71, 92, 97-98, 102, 185
Hipercolesterolemia, 81, 255, 259
Hipertensión 17, 26, 28-29, 35, 48, 52, 102, 117, 173, 207, 253, 255, 257, 268
Histerectomía, 97, 194-195
Homeopatía, 22
Homeostasis, 136, 180
Hormona, 28, 47, 51-52, 54, 137, 173, 176, 180-182, 184, 187, 189-193, 195, 205, 207, 212-214, 222, 231, 234, 237, 255, 264, 268

Industria alimentaria, 104, 205
Infertilidad, 28, 54, 174, 190, 213
Insaturada, 29, 32, 67, 86, 122, 162, 174, 233, 262, 266
Insomnio, 11, 17, 19, 21, 95-97, 102, 119, 144, 179, 184

Insulina, 84, 138-139, 177, 214, 231, 237, 268

Jing, 47-48, 51, 53-55

Laringitis, 148
Laxante, 41, 106, 108, 182-183, 236, 252, 259
Linaza, 28, 37, 39-41, 43, 51, 64, 67, 71, 74-77, 102, 126-128, 139, 145, 162-163, 165, 170, 178, 183, 186-188, 215, 218, 226-227, 231, 236, 242-247, 249, 251, 256-259, 262, 264, 266, 268
Linoleico, 27-28, 36, 40, 85, 184, 234, 252, 254-256, 260, 262-263, 268
Linolénico, 27-28, 36, 61, 64, 126, 252, 254, 256, 260, 262-263, 268
Lipoproteína, 127-128, 260

Maniacodepresivo, 119-120
Meditación, 11, 48, 53, 120, 133
Menopausia, 12-13, 48, 179, 182-190, 193, 206, 214, 258
Metabolismo, 26, 51-52, 60, 72-73, 83, 85, 105-106, 108, 128, 131-132, 136-137, 176-177, 217-218, 232, 234, 237, 241, 268, 270
Metástasis, 160, 162-163, 165, 187
Monosaturado, 36, 252, 254, 260
Mucogénico, 130, 134, 147, 239, 270
Mutagénico, 32

Nocturia, 48

Obesidad, 12, 26, 52, 82, 84-85, 119, 123, 138, 188, 209, 229-230, 236, 269
Oleaginosa, 29, 42, 61, 67, 74, 122, 124, 127, 175, 204, 234, 243, 251, 261-262
Omega 3, 27-28, 35-37, 39-40, 42-43, 55, 58, 61-69, 71-72, 74,

122, 126-127, 137, 139, 150-153, 161-165, 178, 184, 188, 217-218, 230, 233-234, 237, 242, 251-252, 254, 256-257, 260, 262-268
Omega 6, 28, 36, 40, 58, 67, 73, 136-137, 153, 161-162, 164, 178, 184, 188, 217-218, 230, 234, 252, 254-256, 260, 262-263, 265-268
Osteoporosis, 12, 85, 181, 183, 199, 201-202, 205-206, 220-223, 237, 253
Óvulo, 46, 47, 53, 175, 198
Oxidación, 37-38, 42, 105, 121-122, 124-125, 218, 232-233, 251-252, 255, 259
Oxidante, 90, 122

Peristalsis, 239, 259
Piel, 12, 28, 38-39, 48, 59, 63, 67, 134, 202, 209, 253, 255, 257, 269-270
Píldora anticonceptiva, 180, 190, 193
Poliinsaturado, 33, 36, 38-39, 58, 64, 71-72, 103, 127, 136, 252, 254, 256
Presión arterial, 126-128, 201, 261, 268-269
Probiótico, 145
Progesterona, 54, 189-190, 192-193, 195
Prolactina, 189
Prostaglandinas, 28, 33-34, 51, 86, 136, 153, 174, 176-178, 184, 189, 234-235, 255, 268
Próstata, 47, 51, 97, 176, 178, 214, 255
Proteína, 21, 27, 30-31, 56, 59, 61, 87-89, 105, 122-123, 130, 132, 138-139, 147, 169, 188-189, 204-205, 209, 211, 215, 220, 222-224, 243, 252, 254, 256, 258, 262-264, 269

Psicosis maníaco-deresiva, 71

Resistencia insulínica, 131, 138-139
Ritmo metabólico, 28, 51, 85-86, 131, 137, 165, 232-234, 257

Sacha inchi 10, 40-41, 43, 74, 77-78, 126, 170, 197, 198, 242, 249, 251, 262-263, 266
Saturada, 29, 32, 36-37, 66, 83-84, 86, 96, 103-104, 117-119, 122-123, 127, 139, 152, 164, 173-174, 177, 217, 230, 233, 252, 254, 260, 262
Síndrome, 16, 23, 71, 79-84, 88, 94, 98-99, 101-102, 117-119, 121, 129, 133-134, 146-147
Sinusitis, 80, 143-144, 148, 203, 209
Sistema inmunológico, 28, 33-35, 64, 143, 145, 148, 150, 268
Sobrepeso, 12, 26, 51, 105, 134, 138, 209, 218, 229, 231, 234, 238, 244, 269-270

Terapia de restitución hormonal (TRH), 180-183, 186, 200, 221

Termogénesis, 137
Testículos, 33, 52-53, 173-174, 180, 193
Testosterona, 33, 52, 172-173, 182
Tiroides, 53
Trans, 31-34, 62, 66, 68-70, 90, 103, 152, 174
Triglicéridos, 28, 83-84, 126-127, 177, 237, 257, 262
Trombosis, 26, 86, 177, 255
Tumor, 84, 106-107, 159-167, 180, 187, 213, 258, 269

Vaginitis, 259
Vegetariano, 37, 189, 205, 217, 230

Xenoestrógenos, 190-192

Yang, 17, 19, 46-47, 49, 51, 86, 94, 96-98, 102, 118, 129, 133, 146, 154, 184-185, 238, 270
Yin, 16-17, 20, 46-49, 51, 86, 95, 97-98, 101-102, 118, 129-130, 154, 184, 186

Bibliografía citada

Adams, Peter. "Arachidonic acid to eicosapentanoic acid ratio in blood correlates positively with clinical symptoms of depression". *Lipids* 31: 157-61, 1996.

Bairati, I. "Double blind, randomized, controlled trial of fish oil supplements in prevention of recurrence of stenosis after coronary angioplasty". *Circulation* 85: 950-56, 1992.

Broughton, K. Shane. "Reduced asthma symptoms with n-3 fatty acid ingestion are related to 5-series leukotriene production". *American Journal of Clinical Nutrition* 65, abril de 1997.

Budwig, Johanna. *Flax Oil as a True Aid Against Arthritis, Heart Infarction, Cancer and Other Diseases.* Vancouver, Canadá: Apple Publishing, 1994.

Burgess, J.R. "Essential fatty acid metabolism in boys with attention deficit-hyperactivity disorder". *American Journal of Clinical Nutrition* 62: 761-68, 1995.

Burr, M.L. "Effects of changes in fat, fish, and fiber intakes on death and myocardial reinfarction: diet and reinfarction trial (Dart")". *Lancet:* 757-61, septiembre de 1989.

Burton, R. T*he Anatomy of Melancholy. The Classics of Psychiatry and Behavioral Sciences Library.* Birmingham, Alabama: Division of Gryphon Editions, Inc., 1998.

Colbil, Annemarie. *Food and Healing.* EE.UU.: Ballantine Books, 1985.

Cuevas, Olga. *El equilibrio a través de la alimentación*. León, España: Editorial Vital, 1999.

Chen, Zy, G. Pelletier, R. Hollywood y W.M.N. Ratnayake "Trans fatty acid isomers in Canadian human milk". *Lipids* 30: 15-21, 1995.

Das, U. N. y D.F. Horrobin. "Polyunsaturated fatty acids augment free radical generation in tumor cells in vitro". *Biochemical and biophysical research communications* 145(1): 15-24, 1987.

Dhopeshwarkar, G.A. *Nutrition and Brain Development*. Nueva York: Plenum Press, 1981.

Enig, M.G. *Fatty acid composition of selected food items with emphasis on trans octadecenoate and trans octadecedienoate*. Tesis de la Universidad de Maryland. 1981.

Enig, M.G., S. Atal, M. Keeney y J. Sampugna. "Isomeric trans fatty acids in the U.S. diet". *Journal of American Nutrition* 9: 471-86, 1990.

Erasmus, Udo. *Fats and Oils: The Complete Guide to Fats and Oils in Health and Nutrition*. Vancouver: Alive Books. 1993.

Feinhold, B.F. *Why Your Child is Hyperactive*. New York: Random House, 1975. Y "Feinhold's regime for hyperkinesis". *Lancet* 2: 618-8, 1979.

Glenville, Marilyn. *Natural Alternatives to HRT*. Londres: Kyle Cathie Ltd., 1997.

Goldenberg, Burton. *Heart Disease*. Tiburon, California: Future Medicine Publishing, 1998.

Hibben, J.R., Salem, N. "Dietary polyunsaturated fatty acids and depression: when cholesterol does not satisfy". *American Journal of Clinical Nutrition*, 1995.

Hively, Will. "Nuevas preocupaciones sobre la leche" *Revista Discover* 4.9, septiembre de 2000.

Hodge, Linda. "Consumption of oily fish and childhood asthma risk". *Medical Journal of Australia* 164, febrero 5 de 1996.

Hunter, Beatrice. *Consumer Beware*. Nueva York: Simon and Schuster, 1971.

Innis, S. "Essential fatty acid requirements in human nutrition". *Canadian Journal of Physiology and Pharmacology*, 1993.

Johanning, G.L. "Modulation of breast cancer cell adhesion by unsaturated fatty acids". *Nutrition* 810-816, 1996.

Kaptchuk, Ted. *Chinese Medicine*. Londres: Rider Book, 1983.

Lawrence, R. y Sorrell, T. "Eicosapentaenoic acid in cystic fibrosis: evidence of a pathogenetic role for leukotriene B4". *Lancet* 342: 465-69, agosto 21 de 1993.

Lee R.G. "Fatty changes and steatohepatitis" *Diagnostic liver pathology*. Nueva York: Mosby, 1994. 167-194.

Liebman, Bonnie. "Baby Formula: Missing Key Fats". *Nutrition action Healthletter* 8-9, octubre de 1990.

Little, P. "Open randomized trial of prescribing strategies in managing of sore throat". *British Medical Journal* 314: 722-7, 1997.

Luna, Teófilo. *Las frutas su poder curativo*. Lima: Editorial Caminos de vida, 2000.

Mitchel, E.A., M.G. Aman, S.H. Turbot y M. Manku. "Clinical characteristics and serum essential fatty acid levels in hyperactive children". *Clinical Pediatrics* 26: 406-11, 1987.

Orcheson LJ, Rickard SE, Seidl MM, Thompson LU. "Flaxseed and its mammalian lignan precursor cause a lengthening or cessation of estrous cycling in rats". *Cancer Letter* 125.1-2: 69-76, marzo 13 de 1998.

Quick Access. *A Guide to Conditions Herbs and Supplements. Integrative Medicine*. 2000.

Reich R, G.R. Martin. "Identification of arachidonic acid pathways required for the invasive and metastatic activity of malignant tumor cells". *Prostaglandins* 51: 1-17, 1996.

Ridner, Silvana. *Nueva Alimentación Nueva Vida*. Buenos Aires, 1998.

Sauer, L.A. y R.T. Dauchy. "The effect of Omega 6 and Omega 3 fatty acids on 3h-thymidine incorporation in hepatoma 7288CTC perfused *in situ*". *British Journal of Cancer* 66.2: 297-303, 1992.

Schmidt, Michael. *Smart Fats*. Berkeley: Frog Ltd., 1997.

Schwartz, Joel. "Role of polyunsaturated fatty acids in lung disease". *American Journal of Clinical Nutrition* 71.1, enero de 2000.

Shahar, Eyal, et al. "Dietary n-3 polyunsaturated fatty acids and smoking-related chronic obstructive pulmonary disease". *The New England Journal of Medicine* 331.4: 228-233, julio 28 de 1994.

Shelton, Herbert. *The Hygienic Care of Children*. Connecticut: Natural Hygiene Press. 1981.

Simopoulos, Artemis y Jo Robinson. *The Omega Diet*. Nueva York: Harper Perennial. 1999.

Stoll, Andrew, *The Omega 3 Connection*. Nueva York: Simon and Schuster. 2001.

Thompson LU, Rickard SE, Orcheson LJ, Seidl MM. "Flaxseed and its lignan and oil components reduce mammary tumor growth at a late stage of carcinogenesis". *Carcinogenesis* 17.6: 1373-6, junio de 1996.

Willatts P. et al. "Effect of long-chain polyunsaturated fatty acids in infant formula on problem solving at 10 months of age". *Lancet* 352: 688-91, 1998.

Yan L., J.A. Yee, D. Li, M.H. McGuire, L.U. Thompson. "Dietary flaxseed supplementation and experimental metastasis of melanoma cells in mice". *Cancer Letter* 124.2: 181-6, febrero 27 de 1998.

Yokota, A. "Relationship of polyunsaturated fatty acid composition and learning ability in rat". *Nippon Saniujinka Clakkadji* (en japonés) 45: 15-22, 1993.

Ziment, I. "Five thousand years of attacking asthma: an overview". *Respiratory care*, 1986.

Bibliografía general

Black's Medical Dictionary. Londres: A and C Black Limited 1992.

Carper, Jean. *Los Alimentos: Medicina Milagrosa*. Bogotá: Grupo Editorial Norma. 1994.

Davies, Stephen y Alan Stewart. *Nutritional Medicine*. Londres: Pan Books, 1987.

Holford, Patrick. *100% Health*. Londres: Piatkus, 1998.

Larre, Claude, Elizabeth Rochat De La Vallee. *Essence Spirit Blood and Qi*. Cambridge: Monkey Press, 1999.

Ley, Beth M. *DHEA: Unlocking the Secrets to the Fountain of Youth*. Newport Beach, California: BL Publications, 1996.

Maciocia, Giovanni. *The Foundations of Chinese Medicine*. Londres: Churchil Livingstone. 1989.

Pitchford, Paul. *Healing with Whole Foods*. Berkeley, California: North Atlantic Books. 1993.

Reid, Paul. *The Tao of Health, Sex and Longevity*. Nueva York: Simon and Schuster, 1989.

----------. *Guarding the Three Treasures.* Nueva York: Simon and Schuster, 1993.

Sánchez, Zoila, Margot Poma, Katia Peralta y Marina López. *Vegetales, alimento, medicamento y belleza.* Lima: Sistema de Información Científica Antonio Raimondi, 1995.

Shealey, C. Norman *DHEA: The Youth and Health Hormone.* Connecticut: Keats Publishing, 1996.

Udall, Kate Gilbert. *Flaxseed Oil.* Utah, EE.UU.: Woodland Publishing, 1997.

Ursell, Amanda. *Healing Foods.* Londres: Dorling Kindersley, 2000.

Vargas, Lita, Rosana Vargas y Palla Naccarato. *De salvia y toronjil.* Lima: Flora Tristán, 1995.